LE CHEVALIER AU LION

CHRÉTIEN DE TROYES

LE CHEVALIER
AU LION
(YVAIN)

ROMAN TRADUIT DE L'ANCIEN FRANÇAIS
par
Claude BURIDANT et Jean TROTIN,
*Assistants à la Faculté des Lettres
de l'Université de Lille*

PARIS
LIBRAIRIE HONORÉ CHAMPION, ÉDITEUR
7, QUAI MALAQUAIS (VIᵉ)

1978

ISBN 2-85203-036-5

© ÉDITIONS CHAMPION · 1978 · PARIS

AVANT-PROPOS

Notre traduction du « Chevalier au Lion » a été faite d'après la copie du scribe Guiot (Paris, Bibl. Nat. 794), qui a servi de base à l'édition de Mario Roques, parue dans la collection des Classiques Français du Moyen Age. Le texte établi par Mario Roques présente d'assez nombreuses leçons auxquelles nous avons préféré celles de l'édition Foerster (« Yvain. Der Löwenritter », Halle, Max Niemeyer Verlag, 1891), chaque fois que la clarté l'exigeait. Pour certains de nos choix, nous nous sommes appuyés sur les remarques de Monsieur Pierre Jonin, dans ses « Prolégomènes à une édition d'Yvain » (Publication des Annales de la Faculté des Lettres d'Aix-en-Provence, 1958). Le lecteur trouvera ci-après la liste des changements que nous avons cru devoir apporter à la copie de Guiot et au texte de l'édition Mario Roques.

Le « Dictionnaire des Œuvres Complètes

de Chrétien de Troyes », de W. Foerster
(Max Niemeyer Verlag, 2ᵉ édition, 1964)
nous a considérablement aidés. De même,
nous devons beaucoup à l' « Etude sur Yvain
ou le Chevalier au Lion » de Monsieur Jean Frappier (S.E.D.E.S. 1969). La
version en prose moderne d'André Mary
(rééditée en 1963 par The Laurel Language
Library, New-York, et tout récemment par
la N.R.F.) et la traduction partielle de Monsieur André Eskénazi parue dans la collection des Classiques Larousse nous ont été
fort utiles. Nous avons également consulté
le texte de T.B.W. Reid (Yvain, Manchester,
2ᵉ édition en 1948) et l'édition bilingue d'Ilse
Nolting-Hauff (Eidos Verlag, Munich, 1962).

Nous ne voulons pas terminer cet avant-
propos sans exprimer à Monsieur Henri Rous-
sel, Professeur à la Faculté des Lettres de
Lille, notre déférente gratitude pour les précieux conseils qu'il a bien voulu nous dispenser pendant l'établissement de notre traduction.

Nous restons cependant pleinement responsables des erreurs ou des inadvertances qui
ont pu nous échapper.

C.B. et J.T.

LISTE DES CHANGEMENTS

apportés à la copie de Guiot
et au texte de l'édition Mario Roques

Vers 268-271. Nous adoptons la leçon de l'édit. Foerster[1] :

> « Et mes chevaus fu anselez
> Lués que l'an pot le jor veoir,
> Car j'an oi mout proiié le soir ;
> Si fu bien feite ma proiiere. »

Vers 278. Nous adoptons la leçon proposée par Francis Bar[2] :

> « tors salvages, orz et esparz »,

où *orz*, pluriel de *ord* signifie tout naturellement *affreux*. Des copistes ont pu, indépendamment peut-être les uns des autres, voir sous ce mot des ours, c'est pourquoi Guiot, ou sa source, aura cru à une faute à la fin du vers, peut-être, de plus, peu lisible dans le modèle suivi, et introduit dans le passage une troisième espèce d'animaux sauvages.

Vers 543. Nous adoptons la leçon de l'éd. Foerster :

> « Qu'onques puis ne me regarda ; »

P. Jonin remarque à propos de ce vers[3] : « Le manuscrit A

---

1. *Yvain* (Der Löwenritter), Halle, Max Niemeyer, 1891.
2. Sur un passage de Chrétien de Troyes, dans *Studi in onore di Italo Siciliano*, Olschki, Florence, 1966, t. I, p. 47-50.
3. Prolégomènes à une édition d'*Yvain*, Aix-en-Provence, 1958, p. 64.

est plus obscur car on ne voit guère qui « nus » peut désigner ».

Vers 647. Nous adoptons la leçon de l'éd. Foerster :

« Qui se hericë et regringne ».

Vers 701. Nous adoptons la leçon de l'éd. Foerster :

« Et la *lande*... »

Vers 790. Nous adoptons la leçon de l'éd. Foerster :

« Tant d'enor con prodon set feire ».

Vers 1048-50. Nous adoptons la leçon de l'éd. Foerster :

« S'aporta un chapon an rost
Et un gastel et une nape
Et vin qui fu de buene grape,
Plain pot d'un blanc henap covert ».

Vers 1101. Nous adoptons la leçon de l'éd. Foerster :

« Mes il n'i ot a celui *triege*... »

Vers 1727. Nous adoptons la leçon de l'éd. Foerster :

« *Que* dit m'avez vostre pleisir ».

Vers 1776. Nous adoptons la ponctuation de l'éd. Foerster :

« Que droit, san et reison i trueve ».

Vers 1793. Nous adoptons la leçon de l'éd. Foerster :

« Mes or li voldra *amander* ».

Vers 1853. Nous adoptons la leçon de l'éd. Foerster :

« et il n'i avra ja si *baut*... »

Vers 2100. Nous adoptons la ponctuation de l'éd. Foerster ; nous supprimons donc la virgule :

« molt amander et ancherir. »

Vers 2118. Nous adoptons la leçon de l'éd. Foerster :

> « *An* m'enor et an mon servise. »

Vers 2153-54. Nous adoptons la leçon de l'éd. Foerster :

> « Prise a Laudine de Landuc,
> La dame qui fu fille au duc... »

Pour le second vers, P. Jonin fait remarquer dans ses Prolégomènes (*op. cit.*, p. 65) : « Indépendamment de la construction boîteuse on ne peut conserver « l'endemain » de A qui est en contradiction avec le vers 2156 qui précise « le jor meïsmes sanz delai ».

Vers 2369. Nous adoptons la leçon de l'éd. Foerster :

> « Plus bele que nule *deesse* ».

Vers 2434. Nous adoptons la ponctuation de l'éd. Foerster ; nous ajoutons donc une virgule :

> « De ce qu'ele li conte, et dit ».

Vers 2497. Nous adoptons la leçon de l'éd. Foerster :

> « Que fame a tost *s'amor* reprise ».

Vers 2500. Nous adoptons la leçon de l'éd. Foerster :

> « Quant il est del reaume sire ».

Vers 2523-25. Nous adoptons la leçon de l'éd. Foerster :

> « Qui *de tant* rant plus grant chalor
> Et plus se tient an sa valor,
> *Con* plus demore a alumer ».

Vers 2840. Nous adoptons la leçon de l'éd. Foerster :

> « De son pain et de *s'iaue nete* ».

Au vers 2854, Yvain boit en effet de « l'eve froide » au pot.

Vers 2870. Nous adoptons la leçon de l'éd. Foerster :

> « De l'escorchier... »

P. Jonin (*op. cit.*, p. 65) justifie ainsi cette leçon : « La leçon de A n'est pas acceptable. L'ermite s'occupe d'écorcher les bêtes sauvages apportées par Yvain avant de les faire cuire et ne le reçoit pas dans sa hutte puisqu'il place toujours à la fenêtre la nourriture et la boisson qu'il lui destine ».

Vers 2903. Nous adoptons la leçon de l'éd. Foerster :

> « Qu'ele l'avoit assez *veüe* ».

Vers 3030. Nous adoptons la leçon de l'éd. Foerster :

> « Et regarde *par* la forest. »

Vers 3059. Nous adoptons la ponctuation de l'éd. Foerster ; nous mettons ainsi un point après « fist », le vers 3060 introduisant les paroles de la demoiselle :

> « Et san et corteisie fist.
> Quant devant lui vint, si li dist ».

Vers 3169-71. La leçon de Guiot est difficilement acceptable ; nous adoptons la leçon de l'éd. Foerster, qui est parfaitement compréhensible :

> « Que teus a povre cuer et lasche,
> Quant il voit qu'uns prodon antasche
> Devant lui une grant besoingne... »

Vers 3262-63. Nous adoptons la leçon de l'éd. Foerster :

> « Et cil qui chacent *les* detranchent
> *Et lor* chevaus *lor* esboelent. »

Vers 3335. Nous adoptons la leçon de l'éd. Foerster :

> « ... mes que bien *lor* poist ».

Vers 3398. Nous supprimons les deux virgules de ce vers et adoptons ainsi la ponctuation de Foerster :

> « Mes sire Yvains por verite
> set... »

Vers 3548-49. Nous adoptons la leçon de l'éd. Foerster :

> « De moi s'est la joie estrangiee —
> Joie ? La ques ?... »

Vers 3575. Nous adoptons la leçon de l'éd. Foerster :

> (Plus le devoie et plus l'enivre)
> *Diaus, quant il l'a,* que un autre home ».

Vers 3703. Nous adoptons la leçon de l'éd. Foerster :

> « Quant apres *lui* l'an anvoia ».

Le roi a laissé partir la reine à la suite du chevalier.

Vers 3781. Nous adoptons la leçon de l'éd. Foerster :

> « Qui li ont *le* pont avalé ».

Vers 3806-07. Nous ponctuons comme le fait l'éd. Foerster, « a grant joie et a grant enor » qualifiant « torner » ; un point conclut ainsi la phrase au vers 3807 :

> « tant que vos an puisiez torner
> a grant joie et a grant enor ».
> Des le plus haut jusqu'au menor...

Vers 3810-12. Nous ponctuons comme le fait l'éd. Foerster et nous adoptons son texte pour le vers 3811.

> « a grant joie a l'ostel l'en mainnent.
> Et *quant* grant joie li ont feite,
> une dolors qui les desheite... »

Vers 3910. Nous adoptons la leçon de l'éd. Foerster ; il s'agit ici du verbe *prendre* dans (le) *prendre en vain* :

> « Cil ne le preïst pas en vain. »

Vers 4042. Nous adoptons la leçon de l'éd. Foerster :

> « Et a la dame et au seignor... »

Vers 4096. Nous adoptons la leçon de l'éd. Foerster :

> « Chevalchant vindrent lez *un* bois ; »

Vers 4320. Nous adoptons la leçon de l'éd. Foerster :

> « Mes sire Yvains vient, si la voit
> (au feu ou an la vielt ruer). »

Vers 4367. Nous adoptons la leçon de l'éd. Foerster :

> « N'iert mes qui die ne qui *lot* : »

Vers 4797. Nous adoptons la leçon de l'éd. Foerster : c'est un délai de quarante jours et non de quinze qui est traditionnellement accordé par le roi Arthur aux parties en présence pour trouver un champion ; ainsi, dans *La Mort le Roi Artu*, lorsque la reine Guenièvre, accusée d'homicide volontaire par Mador de la Porte, demande au roi de respecter pour elle les coutumes juridiques de sa cour, celui-ci répond :

« Dame, li esgarz de ma cort est tiex que, se vos connissiez le fet si comme il le vos met sus, vos estes alee ; mes sanz faille ce ne vos poons nos pas veer que vos n'aiez respit jusqu'a quarante jorz por conseillier vos de ceste chose, por savoir se vos dedenz celui terme porriez trouver aucun preudome qui por vos entrast en champ et qui vos deffendist de ce dont vos estes apelee. »

Le texte de Foerster est donc préférable :

> « S'ele viaut, porchacier se puet
> au mains jusqu'a quarante jorz... »

Vers 4853. Nous adoptons la leçon de l'éd. Foerster :

> « *Si* pria tant que ele oï... »

Vers 4906-08. Nous adoptons la ponctuation de l'éd. Foerster : nous mettons un point à la fin du vers 4906 et nous supprimons le point du vers 4907 ; ainsi :

> « .... don si lié me fist
> que tot veant mes ialz l'ocist.
> A cele porte la defors
> demain porroiz veoir le cors... »

Vers 5008-09. Nous adoptons la leçon *ses* de l'éd. Foerster (pour *sel* chez Guiot) et nous ponctuons comme le fait cette même édition ; ainsi :

> « ses salue et met a reison,
> s'il sevent, que il lui apreingnent... »

Vers 5025. Nous mettons une virgule et non un point à la fin du vers.

Vers 5039. Nous adoptons la leçon de l'éd. Foerster :

> « *Po ou neant*, voire par foi ! »

Vers 5170. Nous adoptons la leçon de l'éd. Foerster :

> « Mes mes *fos* cuer leanz me tire ; »

Vers 5309. Nous adoptons la leçon de l'éd. Foerster :

> « Qui ne gaaint vint sous ou plus.»

Comme le remarque P. Jonin (*op. cit.*, p. 67), « A introduit avec *cinc solz* une contradiction aux vers qui précèdent (celle qui gagne par semaine 20 sous n'est pas hors de peine). »

Vers 5340. Nous adoptons la leçon de l'éd. Foerster :

> « Qui toz les biens done et depart ! »

Vers 5383. Nous adoptons la leçon de l'éd. Foerster :

> « De *ceste* plaie vos deïsse
> Tant que hui mes fin ne preïsse, »

Vers 5415-16. Dans le premier vers, nous remplaçons le point-virgule après *blanches* par une virgule ; dans le second, nous ajoutons une virgule après *manches* comme dans l'éd. Foerster.

Vers 5470. Nous adoptons la leçon *seinor* d'après l'éd. Foerster.

Vers 5518. Nous adoptons la leçon de l'éd. Foerster :

> « Escuz reonz *an lor mains* tindrent ».

Vers 5711. Nous adoptons la leçon de l'éd. Foerster :

> « Qui est molt bele et jante et sage ».

Au vers 5720, on retrouve le couple « bele et gente ».

Vers 5721-22. Nous rétablissons l'ordre de l'éd. Foerster :

> « que volantiers la receüsse
> se je poïsse ne deüsse ».

Vers 5725. Nous mettons une virgule après « a tant », comme le fait P. Jonin dans son édition d'un passage d'*Yvain* (*op. cit.*, p. 111).

Vers 5849. Nous rétablissons *quarantaine* comme nous l'avons fait au vers 4797 et nous suivons le texte de l'éd. Foerster :

> « de la quarantainne a venir ».

Vers 5868. Nous adoptons la leçon de l'éd. Foerster ; nous remplaçons ainsi *herbergiez* par *destornez* :

> « Jorz avoit passez ne sai quanz
> que mes sire Gauvains s'estoit
> *destornez*... »

Vers 6041-42. Nous adoptons la leçon de l'éd. Foerster :

> « ... si verras quel oste
> ont sor toi amené et mis
> li anemis a tes amis ; »

P. Jonin (*op. cit.*, p. 67) : « A reste peu clair en face de P qui est la meilleure leçon : (Tu verras quel hôte) ont sur toi amené les ennemis de tes amis. »

Vers 6047. Nous adoptons la leçon de l'éd. Foerster :

> « Si est Amors avugle tote »

P. Jonin (*op. cit.*, p. 68) : « La leçon de A est mauvaise parce que « glote » est insolite dans la phrase tandis que « avugle » de P, non seulement présente un sens satisfaisant

mais est encore prolongé par le vers 6050 « Se ele les reco-
neüst », c'est-à-dire, si l'Amour les avait reconnus (irréel). »

Vers 6094. Nous rétablissons à la fin de ce vers le point
d'interrogation de l'éd. Foerster.

Vers 6191. Nous adoptons la leçon de l'éd. Foerster :

> « Et nes li dui qui se conbatent. »

Vers 6231. Nous adoptons la leçon de l'éd. Foerster : « se
nuiz nos depart » à la place de « se l'en nos depart ». P. Jonin
(*op. cit.*, p. 68) : « La leçon de A ne semble pas la bonne.
Il est beaucoup plus naturel comme le fait P d'invoquer
la nuit pour mettre fin au combat, puisqu'elle a déjà été
présentée comme un « obstacle » précédemment :

> « N'ont plus de la bataille cure,
> que por la nuit qui vient oscure
> que por ce que molt s'antredotent. » (6213-6215)

Vers 6263-64. Nous mettons un point-virgule à la fin du
vers 6263 et nous supprimons le point-virgule du vers 6264 :

> « (Quant Yvains ceste novele ot,)
> si s'esbaïst et espert toz ;
> par mautalent et par corroz
> flati a la terre s'espee... »

Vers 6392. Nous mettons un point d'interrogation à la fin
de ce vers.

Vers 6394. Nous adoptons la leçon de l'éd. Foerster :

> « Vos estes roi, si *vos* devez
> de tort garder... »

Vers 6426-27. Nous mettons un point-virgule à la fin du
vers 6426 et une virgule à la fin du vers 6427 :

> « mes molt en ai le cuer dolent ;
> que jel ferai que qu'il me griet,... »

Vers 6641. Nous adoptons la ponctuation de l'éd. Foerster ;
nous mettons ainsi deux points après « dit » et nous ouvrons

2

les guillemets ; nous supprimons aussi les deux points à la fin du vers 6641 :

> « La main destre leva adonques
> la dame et dit : « Trestot einsi
> con tu l'as dit, et je le di... »

Vers 6648. Nous adoptons la leçon de l'éd. Foerster :

> « *Se je an* ai force et pooir ».

Vers 6655. Nous supprimons la virgule à la fin de ce vers, conformément à l'éd. Foerster.

Vers 6682-84. Nous rétablissons l'ordre des vers suivant l'éd. Foerster et adoptons la leçon que donne Foerster au vers 6694 de son texte ;

> « Ne pot asez conjoïr
> celi que ce li a porquis.
> Les iaus li beise et puis le vis... »

Vers 6702. Nous adoptons la leçon de l'éd. Foerster :

> « Or an irons quant vos voudroiz. »

Vers 6745. Nous adoptons la leçon de l'éd. Foerster :

> « Ne covient autre reison dire . »

P. Jonin (*op. cit.*, p. 68) : « Le sens de P (Il n'y a pas d'autre raison à donner) est plus satisfaisant que celui de A . »

Vers 6764. Nous adoptons la leçon de Foerster : *reprandre* pour *aprendre* chez Guiot.

Vers 6773. Nous adoptons la leçon de l'éd. Foerster :

> « Et je le *dui* bien conparer ».

Vers 6783. Nous adoptons la leçon de l'éd. Foerster :

> (se tot mon pooir n'en feisoie)
> *de* pes feire antre vos et moi ; »

Vers 6796. Nous adoptons la leçon de l'éd. Foerster :

> « Ne li sovient de nul enui ».

LE CHEVALIER AU LION

conte — Pentecôte

Arthur, le noble roi de Bretagne, dont l'excellence nous enseigne vaillance et courtoisie, tint sa cour avec une royale magnificence, à cette fête si importante qu'on appelle la Pentecôte. Le roi était à Carduel, au pays de Galles ; après le repas, à travers toute la grand-salle, les chevaliers se groupèrent à l'appel des dames, des demoiselles ou de leurs suivantes. Les uns contaient des histoires, les autres parlaient d'Amour, des tourments, des souffrances et des grandes joies qu'éprouvèrent souvent les fidèles de sa règle, qui était alors douce et bonne ; mais à présent Amour a bien peu de sujets, car ils l'ont presque tous abandonné et il s'en trouve bien avili : ceux qui aimaient jadis y gagnaient un renom de courtoisie, de prouesse, de largesse et d'honneur ; mais aujourd'hui Amour n'est plus qu'un mot trompeur, car ceux qui n'en ressentent rien prétendent qu'ils

le bon vieux Temps

Courtoisie dans le passé déjà

aiment, mais ils mentent, et s'en vanter sans
aucun droit, ce n'est que fable mensongère.

Mais parlons donc de ceux qui furent et
laissons les vivants, car mieux vaut, à mon avis,
un homme courtois mort qu'un malappris en
vie. C'est pourquoi je veux conter une histoire
pleine d'intérêt à propos du roi qui eut une
telle réputation qu'on en parle en tous lieux ;
j'en suis d'accord avec les Bretons : toujours
durera son renom et grâce à lui on garde le
souvenir des vaillants chevaliers d'élite qui
s'illustrèrent au prix de tant de peines.

Mais ce jour-là, les chevaliers s'étonnèrent
beaucoup de voir le roi les quitter trop tôt ;
plusieurs en éprouvèrent un vif déplaisir et
en murmurèrent longuement parce que jamais
on n'avait vu le roi, à une si grande fête, se
retirer dans sa chambre pour dormir ou pour
se reposer. C'est pourtant ce qui arriva ce jour-
là : la reine le retint et il demeura tant auprès
d'elle qu'il s'abandonna au sommeil.

A la porte de la chambre, dehors, se trouvaient
Didonel, Sagremor, Keu, mon seigneur Gauvain,
ainsi que mon seigneur Yvain, et avec eux
Calogrenant, un chevalier fort avenant ; il se
mit à leur faire un récit qui n'était pas à son
honneur mais à sa honte. Tandis qu'il contait
son histoire, la reine prêtait l'oreille ; aussi
se leva-t-elle d'auprès du roi, s'approcha discrètement, et avant même que nul ne pût la

voir, elle survint au milieu d'eux ; seul Calogrenant, sans plus, se leva d'un bond devant
elle. Keu, qui était sarcastique, perfide, persi-
fleur et venimeux, dit alors au chevalier :

« Par Dieu, Calogrenant, quel joli bond
je vous vois faire ! Et vraiment, quel plaisir
pour moi que ce soit vous le plus courtois
d'entre nous ! Et vous le croyez, j'en suis sûr,
tant vous êtes écervelé. Ma dame est en droit
de penser que vous avez, plus que nous tous,
de courtoisie et de valeur : c'est par paresse,
n'est-ce pas, que nous avons négligé de nous
lever, ou par dédain ! Mais par Dieu, seigneur,
si nous ne l'avons pas fait, c'est que nous n'avions
pas encore vu ma dame que déjà vous vous
étiez levé.

— En vérité, Keu, vous auriez éclaté depuis
longtemps, me semble-t-il, fait la reine, si vous
ne pouviez vous vider du venin dont vous êtes
plein. Vous êtes un odieux rustre de chercher
querelle à vos compagnons.

— Dame, fait Keu, si nous ne gagnons rien
à votre compagnie, veillez que nous n'y perdions
pas. Je ne crois pas avoir dit chose qui doive
m'être imputée à mal et, si vous le voulez bien,
n'en parlons plus : il n'est ni courtois ni sensé
de prolonger une discussion futile ; celle-ci
doit en rester là, car nul ne doit y attacher d'importance. Demandez-lui plutôt de poursuivre
le récit, car il n'y a pas lieu de se quereller. »

En riposte à ces mots, Calogrenant répond alors :

« Dame, cette querelle ne me met pas en grand émoi ; je n'en suis guère atteint et en fais peu de cas. Si Keu m'a offensé, je n'en aurai nul préjudice : à de plus valeureux et de plus sages que moi, mon seigneur Keu, vous avez dit injures et outrages, car c'est bien là votre coutume. Toujours doit puer le fumier, les taons piquer, les bourdons bruire, et les méchants se rendre odieux et nuire. Mais je n'en conterai pas plus aujourd'hui si ma dame ne me sollicite pas, et je la prie de n'en plus parler et de bien vouloir ne pas me demander ce qui me serait désagréable.

— Dame, tous ceux qui sont ici, fait Keu, vous saurez bon gré de l'y inviter et l'écouteront volontiers ; ne le faites donc pas pour moi, mais, par la foi que vous devez au roi, votre seigneur et le mien, demandez-lui de poursuivre, vous ferez bien.

— Calogrenant, dit la reine, ne vous souciez pas de la provocation de mon seigneur Keu, le sénéchal ; il a coutume de médire, impossible de l'en corriger. Je vous le demande instamment, n'en ayez pas le cœur chagrin et ne refusez pas, à cause de lui, de faire un récit qu'il nous plaise d'entendre, si vous voulez conserver mon amitié ; mais reprenez dès le début.

— Certes, dame, combien m'est pénible ce

que vous me demandez ; je me laisserais arracher
une dent, si je ne craignais de vous fâcher,
plutôt que de leur raconter plus rien aujourd'hui ;
mais je ferai ce qui vous sied quoi qu'il puisse
m'en coûter, puisque telle est votre volonté.
Écoutez donc ! Prêtez-moi cœur et oreilles,
car les mots sont entièrement perdus s'ils ne
sont compris par le cœur. Il est des gens qui
entendent une chose sans la comprendre, et
cependant y applaudissent ; elle n'est pour
eux qu'un bruit, dès lors que le cœur n'y comprend
rien ; aux oreilles viennent les mots, comme
le vent qui vole, sans y faire arrêt ni séjour,
mais ils s'en éloignent bien vite si le cœur n'est
assez vigilant pour être prêt à la saisie ; car
s'il peut, en les entendant, les saisir, les enfermer et les retenir, les oreilles sont alors le chemin
et le conduit par où la voix s'en vient au cœur ;
et le cœur saisit dans le ventre la voix qui par
l'oreille y entre. Celui donc qui veut me comprendre doit me livrer cœur et oreilles, car je ne
veux parler de songe, ni de fable ni de mensonge.

   Voilà bientôt plus de sept ans que, seul,
sans compagnon, j'allais en quête d'aventures,
armé de pied en cap comme doit l'être un chevalier ; je m'engageai sur ma droite, au milieu
d'une épaisse forêt. C'était une voie fort mauvaise,
pleine de ronces et d'épines ; non sans ennuis
et non sans peines, je suivis ma route par ce
sentier ; presque un jour entier, j'allai chevau-

chant ainsi jusqu'au sortir de la forêt ; c'était
celle de Brocéliande. De la forêt, j'entrai dans
une lande et vis une bretèche à une demi-lieue
galloise, un peu moins peut-être mais pas plus.
Je me dirigeai de ce côté au petit trot, je vis
la bretèche et le fossé qui l'entourait, profond
et large, et debout, sur le pont, le maître de
la forteresse, un autour mué sur le poing. A
peine l'avais-je salué qu'il vint me prendre
à l'étrier et me demanda de descendre. Je des-
cendis — que faire d'autre ? — car j'avais
besoin d'un gîte. Il me dit tout aussitôt plus
de cent fois d'affilée :

« Béni soit le chemin qui vous a conduit
jusqu'ici. »

Nous entrâmes alors dans la cour et passâmes
le pont et la porte. Au milieu de la cour du
vavasseur — Dieu lui donne joie et honneur
autant qu'il m'en donna cette nuit-là — pendait
un disque où, je crois, il n'y avait ni fer ni bois,
ni rien qui ne fût en cuivre. Sur ce disque, avec
un marteau pendu à un potelet, le vavasseur
frappa trois coups. Ceux qui se trouvaient
à l'intérieur entendirent résonner l'appel ; ils
sortent de la demeure et descendent dans la
cour. Je n'eus pas plutôt mis pied à terre qu'un
des serviteurs prenait mon cheval ; et je vis
venir vers moi une jeune fille belle et distinguée.
Je la contemplai avec attention, car elle était
belle, grande et svelte ; elle me désarma fort

adroitement, s'y prenant à la perfection, et
me revêtit d'un court manteau d'écarlate bleu
de paon, fourré de vair ; les autres nous laissèrent
la place, et auprès de moi ni auprès d'elle nul
ne resta, ce dont je fus fort aise, car je n'y voulais
voir compagnie plus nombreuse. Puis elle m'emmena m'asseoir dans le plus joli pré du monde,
clos d'un mur bas tout à l'entour. Là, je la
trouvai si raffinée, si agréable à écouter, si
bien éduquée, d'un tel charme et de telles maniè-
res que sa société m'était fort délicieuse, et
jamais, sous nulle contrainte, je n'eusse voulu
la quitter ; mais, le soir, le vavasseur me dérangea
beaucoup en venant me chercher quand ce
fut le moment de souper ; ne pouvant m'attarder
davantage, j'acquiesçai donc à sa prière. Du
souper, je vous dirai en bref qu'il fut en tout
point à mon goût, car devant moi était assise
la jeune fille, qui y avait pris place. Après le
repas, le vavasseur me dit qu'il ne savait depuis
quand il avait hébergé des chevaliers errants,
en quête d'aventure ; il n'en avait depuis longtemps hébergé aucun. Puis il me pria de bien
vouloir, quand je reviendrais, passer par son
logis pour l'obliger en retour, et je lui répondis :
« Volontiers, seigneur », car c'eût été une honte
que de refuser : j'eusse fait peu de cas de mon
hôte en lui refusant cette grâce.

Je fus, cette nuit-là, fort bien logé et l'on sella
mon cheval dès le point du jour selon que je

l'avais, le soir, instamment demandé ; ma requête fut donc pleinement satisfaite. Je recommandai au Saint Esprit mon aimable hôte et sa chère fille et prenant congé de tout le monde, je m'en allai dès que je pus.

Je n'étais guère éloigné du logis quand je trouvai, dispersés dans un essart, d'affreux taureaux sauvages qui se livraient bataille et menaient un si grand vacarme, comme des bêtes farouches et indomptables, que, pour vous en dire la vérité, j'eus un bref mouvement de recul ; car aucun animal n'est plus farouche ni plus indomptable qu'un taureau. Un vilain qui ressemblait à un Maure, laid et hideux à démesure, si laide créature qu'on ne saurait le dire en paroles, était assis sur une souche, une grande massue à la main. Je m'approchai du vilain et je vis qu'il avait la tête plus grosse que celle d'un roncin ou de toute autre bête, des cheveux en broussaille, un front pelé, de deux empans de large, les oreilles velues et grandes comme celles d'un éléphant, les sourcils énormes, la face plate, des yeux de chouette, un nez de chat, la bouche fendue comme d'un loup, des dents de sanglier, aiguës et rousses, et rousse la barbe, les moustaches tortues. Appuyé sur sa massue, il portait un vêtement si étrange qu'on n'y voyait ni lin ni laine, mais il avait, attachées à son cou, deux peaux fraîchement écorchées, de deux bœufs ou de deux taureaux.

Le vilain se dressa sur ses pieds à l'instant même où il me vit approcher de lui ; voulait-il porter la main sur moi, quelles intentions avait-il, je ne sais, mais je me mis en position de défense tant que je le vis debout, tout coi et immobile, monté sur un tronc ; il avait bien dix-sept pieds de haut ; il me fixa sans dire un mot, non plus que n'eût fait une bête, et je crus qu'il ne savait parler et qu'il était dépourvu de raison. Toutefois, je m'enhardis assez pour lui dire :

« Hé, dis-moi donc si tu es ou non une bonne créature ».

Il me répondit : « Je suis un homme.

— Quelle espèce d'homme ?

— Tel que tu vois, et je ne change jamais.

— Que fais-tu ici ?

— Je m'y tiens, et garde les bêtes de ce bois.

— Tu les gardes ? Par Saint-Pierre de Rome, elles ne savent ce qu'est un homme ; je ne crois pas qu'en une plaine ni en un bois on puisse garder une bête sauvage, ni nulle part ailleurs, d'aucune façon, si elle n'est attachée ou parquée.

— Je garde pourtant celles-ci et m'en fais obéir : jamais elles ne sortiront de cet enclos.

— Toi ? Comment donc ? Dis-m'en la vérité.

— Il n'en est aucune qui ose bouger dès qu'elle me voit venir : lorsque je puis en tenir une, je l'empoigne par les cornes, de mes poings que j'ai durs et puissants, si bien que les autres en tremblent de peur et s'assemblent autour de moi comme pour crier grâce ; mais nul autre que moi ne pourrait, s'il se trouvait au milieu d'elles, être sûr d'éviter une mort immédiate. Ainsi suis-je le seigneur de mes bêtes. Mais toi, à ton tour, dis-moi donc quelle espèce d'homme tu es et ce que tu cherches.

— Je suis, comme tu vois, un chevalier qui cherche sans pouvoir trouver ; ma quête a été longue et elle est restée vaine.

— Et que voudrais-tu trouver ?

— L'aventure, pour éprouver ma vaillance et mon courage. Je te demande donc et te prie instamment de m'indiquer, si tu en connais, quelque aventure ou quelque prodige.

— Pour cela, fait-il, il faudra t'en passer : je ne connais rien en fait d'aventure, et jamais je n'en ai entendu parler. Mais si tu voulais aller près d'ici jusqu'à une fontaine, tu n'en reviendrais pas sans peine, à moins de lui rendre son dû. A deux pas tu trouveras tout de suite un sentier qui t'y mènera. Va tout droit devant toi, si tu ne veux pas gaspiller tes pas, car tu pourrais vite t'égarer : il ne manque pas d'autres chemins. Tu verras la fontaine qui bouillonne, bien qu'elle soit plus froide que le marbre, et l'ombrage le plus bel arbre que jamais Nature ait pu créer. En tout temps persiste son feuillage car nul hiver ne peut l'en priver. Il y pend un bassin de fer, au bout d'une chaîne si longue

qu'elle descend jusque dans la fontaine. Près
de la fontaine tu trouveras un bloc de pierre,
de quel aspect tu le verras ; je ne saurais te
le décrire, car jamais je n'en vis de tel ; et, de
l'autre côté, une chapelle, petite mais très belle.
Si avec le bassin tu veux prendre de l'eau et
la répandre sur la pierre, alors tu verras une
telle tempête que dans ce bois ne restera nulle
bête, chevreuil ni cerf, ni daim ni sanglier,
même les oiseaux s'en échapperont ; car tu
verras tomber la foudre, les arbres se briser,
la pluie s'abattre, mêlée de tonnerre et d'éclairs,
avec une telle violence que, si tu peux y échapper
sans grand dommage ni sans peine, tu auras
meilleure chance que nul chevalier qui y soit
jamais allé. »

Je quittai le vilain dès qu'il m'eut indiqué
le chemin. Peut-être était-il tierce passée et
l'on pouvait approcher de midi lorsque j'aperçus
l'arbre et la fontaine. Je sais bien, quant à
l'arbre, que c'était le plus beau pin qui jamais
eût grandi sur terre. A mon avis, jamais il n'eût
plu assez fort pour qu'une seule goutte d'eau
le traversât, mais dessus glissait la pluie tout
entière. A l'arbre je vis pendre le bassin : il
était de l'or le plus fin qui ait encore jamais
été à vendre en nulle foire. Quant à la fontaine,
vous pouvez m'en croire, elle bouillonnait comme
de l'eau chaude. La pierre était d'une seule
émeraude, évidée comme un vase, soutenue

par quatre rubis plus flamboyants et plus ver-
meils que n'est au matin le soleil quand il paraît
à l'orient ; sur ma conscience, je ne vous mens
pas d'un seul mot.

Je décidai de voir le prodige de la tempête
et de l'orage et je fis là une folie : j'y aurais
renoncé volontiers, si j'avais pu, dès l'instant
même où, avec l'eau du bassin, j'eus arrosé
la pierre creusée. Mais j'en versai trop, je le
crains ; car alors je vis dans le ciel de telles
déchirures que de plus de quatorze points
les éclairs me frappaient les yeux et les nuées,
tout pêle-mêle, jetaient pluie, neige et grêle.
La tempête était si terrible et si violente que
cent fois je crus être tué par la foudre qui tom-
bait autour de moi et par les arbres qui se bri-
saient. Sachez que grande fut ma frayeur,
jusqu'à ce que le temps fût apaisé ! Mais Dieu
me rassura vite car la tempête ne dura guère
et tous les vents se calmèrent ; dès qu'il le voulut,
ils n'osèrent souffler. Quand je vis le ciel clair
et pur, tout joyeux je repris assurance. Car
la joie, si du moins je sais ce que c'est, fait vite
oublier grande peine. Dès que l'orage fut passé,
je vis, réunis dans le pin, tant d'oiseaux, si l'on
veut le croire, qu'il ne semblait y avoir ni branche
ni feuille qui n'en fût toute couverte ; l'arbre
n'en était que plus beau. Le doux chant des
oiseaux formait un harmonieux concert ; chacun
modulait un chant différent, car jamais je

n'entendis l'un chanter la mélodie de l'autre.
Leur joie me réjouit, et j'écoutai jusqu'à ce
qu'ils eussent accompli leur office à loisir :
jamais si belle fête n'enchanta mon oreille,
et certes, je ne pense pas que nul en jouisse
s'il ne va écouter celle où je goûtai tant de plaisir
que je croyais être en extase.

J'étais toujours là lorsque j'entendis venir
des chevaliers, du moins le pensai-je : j'étais
persuadé qu'ils étaient dix, tant menait de
fracas et de bruit un chevalier qui arrivait sans
compagnie. En le voyant approcher seul, je
resserre aussitôt les sangles de mon cheval
et je le monte sans tarder ; et lui, l'air belliqueux,
vient plus rapide qu'un alérion et plus terrible
d'allure qu'un lion. Hurlant aussi fort qu'il
pouvait, il se mit à me défier en disant :

« Vassal, vous m'avez, sans défi, gravement
offensé. Vous auriez dû me provoquer, si vous
en aviez eu quelque raison, ou du moins réclamer
votre droit, avant de me chercher querelle.
Mais si je puis, seigneur vassal, sur vous retom-
bera le mal que m'a causé ce patent préjudice
dont j'ai la preuve autour de moi, celle de mon
bois jeté bas. Quiconque est battu doit se plaindre ; et je me plains, j'en ai le droit : vous m'avez,
hors de ma maison, chassé par la foudre et
la pluie. Vous m'avez causé grand tracas, et
maudit soit qui s'en réjouit, car en mon bois
et en mon château vous m'avez livré tel assaut

que ni grande tour ni haut mur n'eussent pu m'être d'aucun secours. Personne n'y eût été à l'abri, même dans une forteresse de pierre dure ou de bois. Mais soyez sûr que désormais vous n'obtiendrez de moi trêves ni paix. »

A ces mots, nous nous lançâmes l'un contre l'autre, l'écu au bras et chacun se couvrant du sien. Le chevalier avait un cheval vigoureux et une lance roide ; il était, sans aucun doute, plus grand que moi de toute la tête. Aussi me trouvais-je en bien mauvaise posture, car j'étais plus petit que lui et son cheval meilleur que le mien. Je dis toute la vérité, sachez-le bien, pour sauver mon amour-propre. Je lui assénai le plus grand coup que je pus frapper, car jamais je n'y vais de main morte ; je l'atteignis à la boucle de l'écu ; j'y mis toutes mes forces si bien que ma lance vola en éclats ; la sienne resta entière car elle n'était point légère mais bien plus lourde, à mon avis, que nulle lance de chevalier : jamais je n'en vis d'aussi grosse. A son tour, le chevalier me frappa si rudement que, par-dessus la croupe de mon cheval, il me fit m'affaler à terre tout à plat ; il me laissa penaud et confus sans plus m'accorder un regard. Mon cheval, il l'emmena, mais moi, il me planta là, et prit le chemin du retour. Pour ma part, ne sachant que faire, je restai, plein d'inquiètes pensées. Je m'assis un moment près de la fontaine et je m'y reposai, n'osant suivre le chevalier de peur de commettre une folie ; et m'y fussé-je risqué, je ne savais ce qu'il était devenu.

Finalement, je pris la décision de tenir ma promesse envers mon hôte et de revenir chez lui. Sitôt dit, sitôt fait : je jetai tout mon équipement pour marcher plus légèrement et m'en revins, l'air penaud. Quand j'arrivai la nuit au logis, je trouvai mon hôte pareil à lui-même, aussi riant et aussi courtois qu'il m'était apparu la première fois. En aucune manière je ne constatai le moindre changement chez sa fille ni chez lui : ils m'accueillirent aussi aimablement et avec autant de prévenances que la nuit précédente. Toute la maisonnée me prodigua de grands égards, grâce lui en soit rendue ; jamais, disaient-ils, personne n'avait pu s'échapper, à ce qu'ils savaient ou avaient entendu dire, du lieu d'où j'étais revenu : tous y avaient perdu la vie ou la liberté.

Ainsi allai-je, ainsi revins-je ; au retour, je me tins pour un écervelé. Voilà mon histoire : j'ai eu la sottise de vous la conter, ce que jamais encore je n'avais voulu faire.

— Par ma tête, fait mon seigneur Yvain, vous êtes mon cousin germain et nous devons nous porter une vive affection ; mais je puis bien vous traiter de fou pour m'avoir si longtemps caché cette aventure ; ne vous offensez pas, je vous prie, de ce qualificatif, car, s'il m'est loisible, j'irai venger votre honte.

— On voit bien que c'est l'après-dîner, s'écrie
Keu, qui ne savait se taire. Il y a plus de parlot-
tes en un plein pot de vin qu'en un muid de
cervoise, et l'on dit que chat rassasié est tout
guilleret ! Après manger, sans remuer, chacun
va tuer Loradin, et vous, vous irez tirer vengeance
de Forré ! Vos panneaux sont-ils rembourrés,
vos chausses de fer fourbies et vos bannières
déployées ? Allons vite, par Dieu, mon seigneur
Yvain, partirez-vous ce soir ou demain ? Faites-le
nous savoir, beau seigneur, quand vous irez à ce
supplice, car nous tenons à vous escorter ;
il n'y aura prévôt ni voyer qui volontiers ne
soit de cette escorte. Aussi, je vous prie, quoi
qu'il arrive, ne vous en allez pas sans avoir
pris congé ! Et si cette nuit vous faites un mauvais
rêve, restez donc !

— Comment ! Êtes-vous enragé, mon seigneur
Keu, fait la reine, que votre langue ne s'arrête
jamais ? Honnie soit-elle, cette langue, amère
comme scammonée ! Assurément, elle vous tient
en haine, car les pires méchancetés qu'elle
connaît, elle les dit à chacun, quoi qu'il arrive.
Maudite soit la langue qui jamais ne renonce
à médire. La vôtre a l'art de vous faire haïr
en tous lieux : comment peut-elle mieux vous
trahir ? Sachez-le bien, je l'accuserais de trahison
si c'était la mienne. Celui qu'on ne peut corriger,
on devrait le lier à l'église, comme un fou furieux,
devant les grilles du chœur.

— En vérité, dame, fait mon seigneur Yvain, ses insolences me laissent froid. Si grands sont le pouvoir, le savoir et la valeur de mon seigneur Keu, en toute cour, qu'il n'y sera jamais muet ni sourd. Il a le secret d'opposer aux outrages des réponses toutes de bon sens et de courtoisie, et jamais il n'a fait autrement. Vous êtes bien placé pour savoir si je mens. Mais je n'ai cure de me quereller, ni d'entreprendre une folie ; car le responsable de la mêlée n'est pas celui qui frappe le premier, mais bien celui qui se revanche. Qui brocarde son compagnon irait jusqu'à se quereller avec un inconnu. Je ne veux pas ressembler au dogue qui se hérisse et fait grincer ses crocs quand un autre dogue lui montre les dents. »

Tandis qu'ils parlaient ainsi, le roi sortit de la chambre où il s'était longuement attardé, ayant dormi jusqu'à cet instant. Et les barons, à sa vue, de se lever tous devant lui ; le roi les fit tous se rasseoir et prit place auprès de la reine, qui aussitôt lui rapporta sans rien omettre, l'histoire de Calogrenant, avec infiniment de talent. Le roi y prit grand intérêt, et jura par trois fois sans réserve, sur l'âme d'Uterpandragon, son père, sur celle de son fils et celle de sa mère, qu'avant une quinzaine écoulée, il irait voir de ses yeux la fontaine, et la tempête et la merveille : il y sera à la vigile de mon seigneur Saint Jean-Baptiste, et y prendra la nuit son gîte ; et avec lui viendraient, ajouta-t-il, tous ceux qui voudraient y aller. La décision du roi lui valut un surcroît d'estime auprès de la cour tout entière, tant brûlaient du désir de partir les barons et les jeunes gens.

Mais malgré la liesse générale, mon seigneur Yvain fut fort attristé, car il espérait bien s'y rendre en solitaire. Le projet de départ du roi l'accablait de détresse et d'angoisse. Le seul objet de son tourment, c'était la conviction que mon seigneur Keu aurait, à coup sûr, le droit de combattre avant lui s'il le demandait : nul doute, il n'essuierait aucun refus ; et mon seigneur Gauvain lui-même ne requerra-t-il pas le premier la bataille ? Que l'un des deux la revendique, elle ne lui sera certes pas refusée. Mais il ne les attendra pour rien au monde, car il n'a cure de leur compagnie ; bien au contraire il ira seul, à son gré, pour son bonheur ou pour sa peine, et, reste qui voudra, il résoud d'être avant trois jours dans la forêt de Brocéliande ; et sa quête, si possible, n'aura de fin qu'il n'ait trouvé l'étroit sentier tout buissonneux, si ardent en est son désir, et la lande et le château-fort, et l'agréable passe-temps qu'offre la courtoise demoiselle, toute de grâce et de beauté, et avec elle son noble père qui s'épuise en marques d'honneur, tant il est d'une franche et bonne lignée. Puis il verra les taureaux et l'essart et le monstrueux vilain qui le garde. Comme il

lui tarde de voir ce vilain, si prodigieusement
laid, gigantesque, hideux et difforme, et aussi
noir qu'un étourneau ! Puis il verra, s'il le peut,
le perron, et la fontaine et le bassin, et les oiseaux
assemblés sur le pin ; alors il fera pleuvoir
et venter, et nul, décide-t-il, ne saura son dessein,
tant qu'il n'en aura pas retiré grand honneur
ou grande confusion ; après quoi, que toute
l'affaire soit révélée.

Mon seigneur Yvain se retire de la cour sans
se joindre à personne et seul, s'en va vers son
logis. Il y trouve tous ses gens, ordonne qu'on
lui selle une monture et appelle un de ses écuyers
pour lequel il n'avait aucun secret.

« Dis un peu, fait-il, viens avec moi là dehors
et apporte-moi mes armes. Je vais sortir par
cette porte, sur mon palefroi, à l'instant. Prends
garde de ne point tarder, car il me faut voyager
fort loin. Quant à mon coursier, fais-le bien
ferrer, amène-le vite à ma suite, puis tu ramèneras
mon palefroi. Mais garde-toi bien, je te le commande, s'il est quelqu'un qui t'interroge à mon
sujet, de lui donner la moindre indication.
Sans quoi, si pour l'instant tu m'accordes quelque confiance, c'est pour ton malheur que tu
le ferais désormais.

— Seigneur, fait-il, soyez tranquille : de mon
fait, nul n'en saura rien. Allez, je vous suivrai
bientôt. »

Mon seigneur Yvain se met en selle sur-le-

champ ; il vengera, s'il peut, la honte faite à
son cousin, avant que de s'en retourner. Et
l'écuyer de courir au vaillant coursier qu'il
enfourche sans plus tarder : il n'y manquait
ni fer ni clou. Suivant son maître au grand
galop, il ne s'arrête qu'en le voyant pied à terre :
celui-ci l'avait en effet attendu quelque temps
loin du chemin, à l'écart. L'écuyer lui apporte
son harnois complet, le chevalier s'en équipe.

*
* *

Mon seigneur Yvain, une fois armé, ne
s'attarda ni peu ni prou, mais chevaucha, chaque
jour, par monts et par vaux, par d'immenses
forêts, par des lieux hostiles et sauvages, allant
par de traîtres passages et franchissant maint
défilé périlleux, tant et si bien qu'il arriva
enfin jusqu'à l'étroit sentier plein de ronces
et de ténèbres ; alors il eut la certitude qu'il
ne pouvait plus s'égarer. Combien qu'il doive
le payer, il n'aura de cesse qu'il voie le pin
ombrageant la fontaine, et le perron et la tourmente, qui déchaîne la grêle, la pluie, le tonnerre
et le vent.

Cette nuit-là il eut, soyez-en sûrs, l'hôte
qu'il espérait ; car le vavasseur se révèle à lui
homme de bien et d'honneur, beaucoup plus
encore que je ne vous l'ai rapporté ; et en
la jeune fille il vit, de son côté, cent fois plus

de sagesse et de beauté que ne l'avait conté Calogrenant : on ne peut en effet dénombrer les vertus d'une femme ou d'un homme d'élite dès qu'ils s'emploient à dévoiler la perfection de leurs mérites. Jamais on ne pourra venir à bout de les décrire, car la parole est impuissante à retracer toute l'excellence dont sait faire preuve un homme de bien. Mon seigneur Yvain eut donc, cette nuit-là, un très bon gîte, ce qui le combla d'aise.

Il parvint aux essarts le lendemain, vit les taureaux et le vilain qui lui indiqua le chemin ; mais plus de cent fois il se signa tant il fut stupéfait : comment Nature avait-elle bien pu créer une œuvre aussi grossière et aussi laide ? Puis il fit route jusqu'à la fontaine et vit tout ce qu'il voulait voir. Sans perdre un seul instant il renversa d'un coup, sur le perron, le bassin rempli d'eau. Aussitôt il venta et il plut, et la tempête se déchaîna comme prévu. Et quand Dieu rendit la sérénité, les oiseaux vinrent dans le pin et firent une fête merveilleuse au-dessus de la fontaine périlleuse.

Avant que ce joyeux ramage n'eût cessé, arriva, de courroux plus ardent que braise, un chevalier menant grand bruit, comme s'il chassait un cerf en rut ; à peine se furent-ils aperçus qu'ils se lancèrent l'un contre l'autre en montrant bien qu'ils se vouaient une haine mortelle. Armés chacun d'une solide et roide

lance, ils échangent des coups si terribles qu'ils
transpercent à la fois leurs écus ; les hauberts
se démaillent, les lances se fendent et éclatent
et les tronçons volent en l'air. C'est alors qu'ils
s'affrontent à l'épée ; ils ont, au choc des lames,
tranchés les guiges des écus qu'ils ont si bien
haché menu, dessus et dessous, que les débris
en pendent et qu'ils ne trouvent, à s'en couvrir,
qu'un vain abri ; les écus portent de telles
taillades qu'à découvert, sur les côtés, sur la
poitrine et sur les hanches, les jouteurs font
l'essai de leurs épées étincelantes. Farouchement
ils se mesurent sans céder un seul pied de terrain
non plus que ne feraient deux rocs. Jamais
deux chevaliers ne mirent plus de rage à préci-
piter l'instant de leur mort. Ils veillent à ne pas
gaspiller leurs coups, mais ils s'emploient à
frapper de leur mieux, bosselant et faussant
les heaumes, faisant voler les mailles des hauberts,
combat si rude qu'ils se ravissent des flots de
sang. Car la vigueur de leurs assauts met leurs
hauberts en si piteux état qu'ils n'ont, pour
chacun d'eux, guère plus de valeur qu'un froc
de moine. En plein visage ils se frappent d'estoc ;
qui donc ne s'émerveillerait de voir s'éterniser
une bataille aussi terrible et aussi dure ? Mais
ils sont tous deux si indomptables que l'un ne
céderait à l'autre, à aucun prix, un pouce de
terrain, sans le malmener jusqu'à ce que mort
s'ensuive ; et ils agirent en vrais preux en se

gardant bien de blesser ni d'estropier leurs
montures où que ce fût, et pas une fois ils ne
mirent pied à terre ; ainsi la bataille n'en fut
que plus belle.

A la fin, mon seigneur Yvain écartèle le
heaume du chevalier qui, tout étourdi sous
le coup, sentit ses forces le quitter. Quel trouble s'empara de lui ! Jamais encore il n'avait
essuyé un coup aussi effroyable ; le fer lui avait,
sous la coiffe, fendu la tête jusqu'à la cervelle,
si bien que des fragments ensanglantés en rou-
gissaient les mailles du brillant haubert ; si
grande fut la souffrance qu'il éprouva que le
cœur faillit lui manquer. S'il prit la fuite, comment
le lui reprocher ? Il se sentait blessé à mort,
toute défense eût été inutile. Son choix est fait :
vers son château il s'enfuit à bride abattue ;
le pont était baissé, la porte grande ouverte ;
et mon seigneur Yvain de se ruer à sa poursuite,
donnant de l'éperon autant qu'il peut. Ainsi
que le gerfaut s'élance vers la grue, prenant
son vol de loin, et tant s'approche d'elle qu'il
croit la tenir, sans pourtant la toucher, ainsi
fuit le premier et l'autre le pourchasse, de
si près qu'il pourrait, peu s'en faut, l'étrein-
dre à bras-le-corps, sans jamais cependant parvenir à l'atteindre, alors qu'il est assez proche
du fugitif pour entendre les gémissements que
lui arrache la souffrance ; mais toujours l'un
s'efforce de fuir et l'autre s'évertue à lui donner

la chasse, craignant d'avoir perdu sa peine
s'il ne s'empare de lui mort ou vif, car il a encore
en mémoire les sarcasmes que lui lança mon
seigneur Keu. Il est loin de s'être acquitté de
la promesse faite à son cousin et on ne lui accor-
dera aucun crédit, s'il n'apporte de son exploit
des preuves authentiques.

A force d'éperon, le fuyard l'a mené jusqu'à
la porte de son château ; les voici tous deux
dans l'enceinte ; sans rencontrer âme qui vive
dans les rues qu'ils ont empruntées, ils arrivent
d'un même élan au beau milieu de l'entrée
du palais.

La porte était haute et large à souhait, mais
pourtant si étroite d'accès que deux hommes
ni deux chevaux ne pouvaient la franchir ou
s'y croiser sans peine ni sans grand dommage ;
c'est qu'elle était faite comme le piège qui
attend le rat venant commettre son larcin ;
la pointe est à l'affût, au-dessus, qui jaillit,
frappe et prend, car elle se déclenche et tombe
dès que le moindre heurt, aussi léger soit-il,
ébranle le verrou. De même, sous l'entrée,
étaient deux trébuchets qui retenaient en l'air
une porte à coulisse en fer émoulu et tranchant ;
si quoi que ce soit s'engageait sur ce mécanisme,
la porte s'abattait, capturant et hachant menu
ce qu'elle atteignait sous elle. Et juste au milieu
de l'entrée, le passage était étroit comme un
simple sentier. C'est dans ce bon passage que

le chevalier a la prudence de se jeter, alors que
mon seigneur Yvain, comme un insensé, pique
des deux à plein galop derrière lui et arrive
même à l'atteindre de si près qu'il le saisit par
le troussequin ; grand bien lui en prit de s'être
penché vers l'avant ; sans cet heureux hasard,
il eût été entièrement pourfendu, car le cheval
mit le pied sur la poutre qui retenait la porte
de fer. Tel un diable d'enfer, celle-ci s'abat
brusquement, atteint la selle et l'arrière-train
du cheval, tranchant par le milieu tout ce qu'elle
rencontre, mais, grâce à Dieu, sans toucher
mon seigneur Yvain ; il s'en fallut d'un rien :
elle vint lui frôler le dos pour lui trancher net
les deux éperons au ras des talons ; il tomba
tout épouvanté. C'est ainsi que lui échappa
son ennemi blessé à mort. Après cette porte,
il y en avait une autre identique ; c'est par là
que disparut le fuyard, et la porte retomba
derrière lui. Voilà donc mon seigneur Yvain
pris au piège. Plongé dans l'anxiété et dans
l'égarement, il demeura enfermé dans la salle
au plafond semé de clous d'or et aux parois
artistement ornées de riches peintures. Mais
rien ne lui causait autant de désespoir que
d'ignorer par où l'autre avait disparu.

Il était toujours en plein désarroi quand
il entendit s'ouvrir la porte d'une chambrette
voisine ; une demoiselle en sortit, d'allure gracieuse et belle de visage ; elle ferma la porte

derrière elle. Quand elle aperçut mon seigneur Yvain, elle commença par lui inspirer de vives alarmes :

« En vérité, fait-elle, chevalier, je crains que vous soyez bien mal venu : si l'on vous capture en ces lieux, vous y serez taillé en pièces, car mon seigneur est blessé à mort et je sais bien que c'est vous qui l'avez tué. Ma dame en montre un si grand deuil et ses gens autour d'elle poussent des cris si déchirants qu'ils sont bien près de se tuer sous l'effet du chagrin ; ils savent bien pourtant que vous êtes ici, mais leur affliction à tous est si grande qu'ils sont, pour l'instant, incapables de songer à votre présence malgré leur détermination de vous capturer mort ou vif, mais ils ne peuvent y manquer dès qu'ils résoudront de vous attaquer. »

Mon seigneur Yvain lui répond alors : « Jamais, s'il plaît à Dieu, ils ne me tueront, et jamais je ne serai leur prisonnier !

— Non, fait-elle, car je mettrai en œuvre, avec votre concours, tout ce qui est en mon pouvoir. Qui a grand-peur n'est pas un preux, or je vous crois vaillant à vous voir si peu effrayé. Et soyez-en sûr, si j'en avais l'occasion, je vous offrirai mon service et vous ferais honneur, car vous m'avez vous-même jadis obligée. Un jour, à la cour du roi, ma dame m'envoya en messagère ; peut-être n'eus-je pas la sagesse, la courtoisie ni le maintien que l'on pouvait attendre d'une jeune fille, mais il ne s'y trouva nul chevalier qui daignât m'adresser le moindre mot, excepté vous seul que voici ; il n'y eut que vous, soyez-en grandement remercié, pour m'honorer et me servir en cette cour ; la considération que vous m'avez alors montrée va recevoir sa récompense. Je sais bien comment on vous nomme et je vous ai parfaitement reconnu : vous êtes fils du roi Urien et vous vous nommez mon seigneur Yvain. Soyez donc absolument sûr que jamais, si vous voulez vous fier à moi, vous ne serez ni capturé ni mis à mal : vous allez prendre mon petit anneau que voici et me le rendrez, s'il vous plaît, quand je vous aurai délivré. »

Elle lui donne alors l'anneau : il a, dit-elle, la même vertu que l'écorce qui recouvre l'aubier si parfaitement qu'il est invisible ; mais il faut prendre garde, en le passant au doigt, que la pierre soit cachée dans le poing fermé ; alors il n'a plus rien à craindre, celui qui porte cet anneau : même les yeux écarquillés, on ne saurait l'apercevoir, non plus que le fût si bien recouvert par l'écorce qu'on n'en devine rien. Voilà ce qu'elle enjoint à mon seigneur Yvain.

Dès qu'elle eut achevé, elle le mena s'asseoir sur un lit recouvert d'une couette si riche que jamais le duc d'Autriche n'en eut de telle ; elle lui proposa de lui apporter à manger ; il répondit qu'il acceptait très volontiers. La

demoiselle court bien vite dans sa chambre
et revient sans tarder, apportant un chapon
rôti et un gâteau sur une nappe avec un plein
pot de vin d'un excellent cru surmonté d'un
brillant hanap. Tel est le repas que lui a offert
celle qui le sert de tout cœur ; et notre héros,
qui en avait bien besoin, mangea et but sans
se faire prier.

A la fin de sa collation se répandirent par
le château les chevaliers qui le cherchaient,
animés du désir de venger leur seigneur, déjà
déposé sur la civière. La demoiselle lui dit alors :
« Ami, écoutez : ils sont déjà tous à votre
recherche ; que de vacarme ! que de bruit !
Mais sans vous inquiéter des allées et venues,
demeurez immobile en dépit du tapage, car
vous ne serez pas découvert si vous ne bougez
de ce lit ; bientôt vous verrez cette salle emplie
d'une foule haineuse et mauvaise qui s'imaginera
vous y trouver ; je crois bien qu'ils apporteront
le corps ici pour aller l'enterrer ensuite. Ils
vont se mettre à vous chercher et sous les bancs
et sous les lits. Ce serait un spectacle bien plaisant,
pour qui n'aurait rien à craindre, que de voir
ces gens qui n'y verront goutte ; car ils seront
tous si aveuglés, si déconfits et si abusés qu'ils
enrageront de colère tous autant qu'ils sont.
Je ne puis pour l'instant vous en dire plus et
je n'ose m'attarder davantage. Mais qu'il me
soit permis de rendre grâce à Dieu qui m'a

donné l'occasion et le loisir d'accomplir une action qui vous soit agréable, car j'en avais le plus profond désir. »

A ces mots, elle s'éclipsa et sitôt après son départ, toute la maisonnée en armes se présenta aux portes, des deux côtés à la fois, brandissant bâtons et épées, grouillante cohue de gens hargneux et furieux ; ils virent devant la première porte l'arrière-train du cheval coupé en deux et dès lors, aucun doute dans leur esprit : dès qu'on aurait ouvert, ils trouveraient à l'intérieur celui qu'ils cherchaient pour le mettre à mort. Ils firent donc relever ces engins responsables de tant de meurtres mais, cette fois, on ne tendit sur leur chemin ni traquenard ni piège, et c'est tous de front qu'ils entrèrent dans la salle pour découvrir, devant le seuil, l'autre moitié du cheval mort ; mais jamais nul d'entre eux n'eut les yeux qu'il fallait pour apercevoir mon seigneur Yvain, qu'ils eussent mis à mort avec tant de plaisir ; quant à lui, il les voyait enrager, fous de fureur et de colère.

« Voilà qui est étrange, disaient-ils, il n'est ici ni porte ni fenêtre par où quelque créature ait pu s'échapper à moins que d'être oiseau qui vole ou écureuil ou cisemus ou bête aussi petite ou plus, car les fenêtres sont grillées, et les portes se sont fermées lorsque mon seigneur sortit de la salle : mort ou vif, le meurtrier est ici en personne, impossible qu'il soit resté dehors.

Une bonne moitié de la selle est à l'intérieur, nous le voyons bien, mais de lui aucune trace sinon les éperons tranchés qui lui tombèrent des pieds ; cherchons-le donc dans le moindre recoin et laissons là ces vains discours : ils est encore ici, assurément, ou nous sommes le jouet d'un enchantement collectif, ou les démons nous l'ont ravi. »

Ainsi, tous enflammés de rage, ils cherchaient par toute la salle, faisant pleuvoir les coups et sur les murs et sur les lits et sur les bancs ; seul en fut exempt le lit où était couché l'invisible chevalier qui ne reçut pas le moindre horion ; mais leur bastonnade s'abattit autour de lui et de leurs bâtons, en tous sens, ils livrèrent de furieux assauts, comme des aveugles qui, à tâtons, sont à la recherche de quelque objet.

Tandis qu'ils allaient fourgonnant sous les lits et les escabeaux vint une des plus belles dames qu'ait jamais vue créature terrestre ; de chrétienne d'une telle beauté, jamais on n'entendit souffler mot ; mais elle mettait tant de frénésie à faire éclater sa douleur qu'elle était sur le point d'attenter à sa vie. De temps à autre elle criait aussi haut qu'elle pouvait pour retomber sans connaissance ; à peine relevée, ainsi qu'une démente, elle commence à s'égratigner et à arracher ses cheveux ; elle se tord les mains et lacère ses vêtements, puis de nouveau défaille à chaque pas : rien ne peut la consoler au spectacle de son époux qu'elle voit emporter devant elle, gisant sur la civière, mort ; jamais, pense-t-elle, son chagrin ne s'apaisera ; voilà pourquoi elle poussait de si grands cris. L'eau bénite, la croix et les cierges venaient en tête avec les dames d'un couvent, puis les évangéliaires, les encensoirs, et les clercs qui sont chargés de dispenser le don suprême, espoir de l'âme infortunée.

Mon seigneur Yvain entendit les cris et vit cette douleur qui jamais n'aura de peintre, que personne au monde ne saurait dépeindre, et dont il n'est, en nul écrit, aucun exemple. La procession passa, mais au milieu de la salle une foule épaisse et confuse se rassembla autour de la civière car le sang chaud, clair et vermeil, s'était remis à couler de la blessure du mort ; c'était la preuve manifeste que se trouvait encore parmi eux, sans nul doute, l'agresseur qui avait vaincu et tué leur seigneur. Alors ils cherchent partout de plus belle, fourrageant et retournant tout de fond en comble, tous trempés de sueur, si grands sont l'émoi et l'excitation que leur cause le sang vermeil qui avait dégoutté sous leurs yeux ; cette fois, mon seigneur Yvain reçut une volée de coups à l'endroit même où il était couché, mais il fut loin de bouger pour autant. Et les gens criaient de plus en plus fort à la vue des plaies qui s'ouvraient, se demandant, stupéfaits, pourquoi elles sai-

gnaient : qui pouvaient-elles accuser ? Et chacun
de conclure :

« Le meurtrier est parmi nous et pourtant
impossible de le voir ! C'est quelque diabolique
sortilège ».

Et la dame en montrait une telle fureur que,
dans des transports de folie, elle criait comme
hors de sens :

« Ah ! Dieu ! ne trouvera-t-on point le criminel,
le traître qui m'a tué mon vaillant époux ?
Vaillant ? non pas, le meilleur des vaillants !
Vrai Dieu, le tort en sera tien si tu le laisses
s'échapper d'ici. C'est à toi seul que je dois
reprocher de le dérober à ma vue. Jamais on
ne vit un tel abus de pouvoir et un préjudice
aussi outrageant que ceux dont tu m'accables
en m'interdisant même de le voir, lui qui est
là si près de moi. Je puis bien affirmer, puisqu'il
est invisible à mes regards, que parmi nous
s'est glissé un fantôme ou un démon qui m'a
ensorcelée tout entière ; ou, couard qu'il est,
il me redoute ; oui, c'est un couard, puisqu'il
me craint : c'est son insigne couardise qui
l'empêche d'oser paraître en ma présence. Ah !
fantôme, couarde créature, pourquoi être si
lâche devant moi quand face à mon seigneur
tu eus tant de hardiesse ? Que ne t'ai-je à présent en mon pouvoir ? Ta puissance eût déjà
pris fin ! Pourquoi ne puis-je te tenir en ce
moment ? Mais comment put-il advenir que

tu ôtas la vie à mon époux si tu ne le fis par
traîtrise ? Jamais, en vérité, tu ne l'aurais vaincu
s'il t'avait vu, car au monde il n'avait son pareil,
ni Dieu ni personne ne lui en connaissait et
désormais il n'en est plus de tel. Certes, si tu
étais mortel, tu n'aurais pas osé t'en prendre
à mon époux, car aucun ne pouvait se comparer
à lui. »

Ainsi se malmène la dame, ainsi par tout
le corps elle se meurtrit, ainsi par tout le corps
elle se détruit, et autour d'elle, pour leur part,
ses gens manifestent tant d'affliction qu'ils ne
sauraient en montrer de plus grande. Ils empor-
tent le corps et l'enterrent ; ils ont tant cherché
et tant fourragé que, rassasiés de cette quête,
de guerre lasse ils l'abandonnent, incapables
de voir personne qui prête au moindre soupçon.

Les religieuses et les prêtres avaient déjà
célébré le service funèbre ; revenus de l'église,
ils s'étaient rendus sur la sépulture. Mais de tout
cela n'avait cure la demoiselle de la chambre :
il lui souvient de mon seigneur Yvain ; auprès
de lui elle accourt au plus vite et lui dit :

« Cher seigneur, avez-vous vu la troupe
immense de ces gens répandue en ces lieux ?
Quel vacarme ils ont fait par toute la salle,
fouillant toutes les caches plus minutieusement
qu'un brachet ne suit à la trace une perdrix
ou une caille ! Vous avez dû avoir grand-peur,
sans aucun doute.

— Par ma foi, répond-il, vous dites vrai ;
jamais je ne pensai être aussi effrayé. Mais à
nouveau, s'il se pouvait, par un trou ou une
fenêtre, je voudrais bien regarder, là-dehors,
la procession et le mort. »

Mais il était bien loin de songer au mort
ou à la procession ; il eût souhaité qu'ils fussent
tous brûlés, lui en eût-il coûté cent marcs. Cent
marcs ? En vérité plus de cent mille ! C'est
bien plutôt dans l'espoir de revoir la dame
du château qu'il fit cette demande. La demoiselle
le posta à une petite fenêtre. Du mieux qu'elle
peut elle s'acquitte envers lui de l'honneur qu'il
lui avait témoigné. Donc, par cette fenêtre,
mon seigneur Yvain épie la belle dame qui
se lamente :

« Cher époux, que Dieu ait pitié de votre âme,
aussi vrai qu'à ma connaissance jamais ne se
tint à cheval un chevalier qui vous valût le moins
du monde. Votre gloire, très cher époux, jamais
nul chevalier ne l'égala, non plus que votre
courtoisie ; largesse était votre amie et courage
votre compagnon. Puisse votre âme trouver
place en la communauté des saints, mon cher
et tendre époux ! »

Alors, par toute sa personne, elle déchire
et lacère tout ce qu'atteignent ses mains. Ce
n'est qu'au prix d'un douloureux effort que
mon seigneur Yvain s'empêche de courir les
lui retenir, quoi qu'il en advienne. Mais la

demoiselle se répand en prières, en conseils, en injonctions, en exhortations, suivant la noblesse de sa nature : qu'il se garde de faire une folie !

« Vous êtes ici fort bien, lui-dit-elle, veillez à ne bouger sous le moindre prétexte avant que ce deuil ne soit apaisé. Laissez partir ces gens : ils vont bientôt se séparer. Si pour l'instant vous agissez selon mes vues, ainsi que je vous y invite, vous pourrez y trouver grand profit. Vous avez tout loisir de demeurer à cette place et de voir les gens aller et venir, aussi bien dehors que dedans ; il n'y aura personne pour vous apercevoir et ce ne sera pas un mince privilège ; mais gardez-vous de proférer des invectives, car celui qui cède à l'emportement et s'acharne à outrager autrui quand l'occasion lui est offerte, je l'appelle lâche plutôt que brave. Prenez bien soin, si vous imaginez quelque folie, de ne pas la mettre à exécution. Le sage dissimule ses folles pensées et met en œuvre, s'il peut, son bon sens. Faites donc preuve de sagesse : n'y laissez point la tête en gage, car ils n'en prendraient aucune rançon. Ayez souci de votre personne et souvenez-vous de mes conseils ; restez tranquille jusqu'à mon retour ; je n'ose ici demeurer plus longtemps : je risquerais de trop m'y attarder, peut-être me soupçonnerait-on si l'on ne me voyait avec les autres parmi la foule, et je serais rudement gourmandée ».

Sur ce, elle s'en va ; il reste seul, ne sachant comment se comporter : quel n'est pas son tourment de voir enterrer ce corps sous ses yeux et de ne pouvoir rien en posséder qu'il emporte, pour attester sa victoire sur le chevalier ! S'il n'en détient aucun gage probant qu'il puisse produire en cour de justice, alors il sera bel et bien honni. Keu est si méchant, si pervers, si plein de sarcasmes haineux, qu'il ne le laissera plus échapper ; au contraire, il le bafouera sans retenue, lui lançant railleries et brocards comme il le fit naguère. Ses sarcasmes cruels sont restés dans le cœur du chevalier, aussi frais, aussi vifs. Mais de son sucre et de son miel l'apaise Amour nouveau qui, faisant une incursion dans sa terre, a enlevé tout le butin qu'il convoitait : son cœur appartient à son ennemie, il aime l'être qui le hait le plus au monde. La dame a bien vengé — sans pourtant le savoir — la mort de son mari ; et cette vengeance est plus grande encore qu'elle n'aurait pu l'accomplir si ne l'avait vengée Amour, en assaillant le meurtrier avec tant de douceur que par les yeux il le frappe en plein cœur ; et ce coup a plus long effet que coup de lance ou coup d'épée : un coup d'épée guérit bien vite dès qu'un médecin s'y emploie, mais plaie d'amour empire plus elle est proche de son médecin.

C'est cette plaie qu'a mon seigneur Yvain

et désormais il n'en guérira plus car Amour,
sans réserve, s'est livré à lui. Les lieux où il
s'était répandu, Amour les fouille et s'en retire,
ne voulant accepter que lui pour logis et pour
hôte ; et il prouve son excellence en abandonnant
les lieux décriés pour se consacrer tout à lui.
Je ne crois pas qu'ailleurs il ait laissé la moindre
trace, car tous ces infâmes logis, il les a explorés ;
c'est un grand malheur, quand Amour est
assez vil pour s'héberger d'emblée dans le lieu
le plus indigne qu'il trouve, comme si c'était
là le meilleur campement. Mais cette fois,
on lui offre un bon gîte : il y sera bien choyé,
il lui fait bon y séjourner. C'est ainsi que devrait
se comporter Amour, qui est de si noble nature ;
comment, en effet, ne pas s'étonner qu'il ose
s'abaisser à fréquenter des lieux abjects ? Il
ressemble alors à celui qui répand son baume
dans la poussière et dans la cendre, à celui
qui hait l'honneur et aime le blâme, qui détrempe
la suie avec du miel et mêle le sucre au fiel.
Mais, pour lors, Amour n'agit pas ainsi :
il s'est établi sur un franc-alleu et nul ne peut
lui en faire reproche.

Quand on eut enterré le mort, tout le monde
se sépara : il ne resta ni clercs ni chevaliers,
ni serviteurs ni dames sinon celle qui ne cache
point sa douleur. Elle demeure toute seule,
et souvent se serre la gorge, tord ses poings,
bat ses paumes, et lit ses psaumes dans un psautier

enluminé de lettres d'or. Et mon seigneur
Yvain, toujours à la fenêtre, la regarde ; et
plus il la contemple, plus grandit son amour
et plus elle lui plaît. Ses pleurs et sa lecture,
il voudrait, ô combien, qu'elle y eût mis un
terme et qu'elle consentît à lui parler ; tel est
le désir que lui inspire Amour, qui l'a conquis
à la fenêtre ; mais ce vouloir le désespère :
il n'ose un instant se flatter de voir un jour
ses vœux réalisés.

« Je puis bien me taxer de folie, dit-il, de
vouloir ce que jamais je n'aurai ; je lui ai blessé
à mort son époux et je prétends vivre en paix
avec elle ! Par ma foi, quelle idée insensée,
car elle me hait, pour l'instant, plus que nul
être au monde, et à bon droit. « Pour l'instant »
ai-je dit, et j'ai parlé en sage, car femme a plus
de mille humeurs. L'humeur qui est la sienne
en ce moment, peut-être en changera-t-elle
bientôt ; que dis-je « peut-être », elle en changera
sûrement, je suis bien fou de m'en désespérer,
et que Dieu lui accorde de changer bientôt,
car à tout jamais il me faut être en son pouvoir,
puisqu'Amour le commande. Qui de bon gré
n'accueille Amour dès lors que celui-ci l'attire
auprès de lui, commet traîtrise et félonie, et
j'affirme, l'entende qui veut, qu'il ne mérite
aucune joie. Mais quant à moi, je ne démériterai
pas : à jamais j'aimerai mon ennemie, car
je ne dois point la haïr si je ne veux trahir Amour !

[annotations manuscrites en marge : « à regarder — souple — changeant » et « le 2ème code »]

C'est ce qu'Amour veut qu'il me faut aimer.
Mais doit-elle m'appeler son ami ? Bien sûr
puisque je l'aime. Et moi je l'appelle mon ennemie
car elle me hait, et à juste titre : je lui ai tué
l'être qu'elle aimait. Mais suis-je donc son
ennemi ? Certes non, mais son ami. Quel martyre
j'endure pour ses beaux cheveux ; jamais rien
ne m'a inspiré autant d'amour ; ils passent
l'or fin tant ils resplendissent ; et quel chagrin
lancinant me fouaille lorsque je les vois rompre
et arracher ; jamais non plus ne peuvent se
tarir les pleurs qui lui tombent des yeux : que
de peine j'éprouve à ce spectacle ! Malgré les
larmes qui les gonflent et qui n'ont point de
cesse, jamais n'ont existé d'aussi beaux yeux.
Ces pleurs m'affligent, et il n'est pas pour moi
de plus cruel supplice que de lui voir se meurtrir
un visage qui n'eût point mérité semblable
traitement : jamais je n'en ai vu d'un dessin
aussi pur, de couleurs aussi fraîches ; mais
ce qui me perce le cœur plus que tout, c'est
qu'elle soit sa propre ennemie. Et, sans se
ménager, elle s'inflige les pires tourments alors
que nul cristal ou nul miroir ne sont aussi
limpides ni aussi polis. Dieu ! pourquoi cette
frénésie, et pourquoi ne pas tempérer cette
rage de se détruire ? Pourquoi tordre ses belles
mains, pourquoi se frapper et se griffer le sein ?
Ne serait-elle pas une pure merveille à contempler
si elle était radieuse, quand elle est à présent

si belle en sa fureur ? Oui, certes, je peux bien le jurer : jamais Nature n'a pu à ce point se dépasser en créant la beauté car elle a, pour cette œuvre, passé la mesure ; ou bien, peut-être n'y a-t-elle jamais travaillé ? Comment alors pareille créature aurait-elle pu exister ? Où l'origine de tant de beauté ? C'est Dieu qui l'a faite de sa propre main pour ébahir Nature. Elle pourrait gaspiller tout son temps à vouloir imiter ce modèle, jamais elle ne saurait en venir à bout. Et Dieu lui-même, voulût-il s'y employer, ne parviendrait pas à refaire un pareil chef-d'œuvre, quelque effort qu'il y consacrât. »

Ainsi mon seigneur Yvain dépeint-il celle qui se martyrise de douleur ; et jamais encore que je sache, il n'advint qu'un captif ayant semblable sort et craignant comme lui pour sa tête, éprouvât une passion aussi folle, alors peut-être qu'il n'osera prier d'amour celle qu'il aime, et que personne autre ne parlera pour lui.

Il demeura à la fenêtre jusqu'à ce qu'il vît la dame repartir ; il s'aperçut aussi que l'on avait abaissé les portes coulissantes. Tout autre que lui s'en fût attristé, préférant la délivrance au séjour en ces lieux ; mais lui apprécie tout autant qu'on les ferme ou qu'on les ouvre. Il ne s'en irait certes pas si on les lui ouvrait, et même si la dame lui donnait congé et lui

pardonnait de tout cœur la mort de son mari
pour le laisser partir sans crainte. C'est que
le retiennent Amour et Honte, qui de deux côtés
à la fois se présentent à lui : quel déshonneur s'il
s'en va, jamais on ne croira qu'il ait accompli
cet exploit ; et d'autre part, si vif est son désir
de pouvoir au moins regarder la belle dame,
à défaut d'obtenir aucune autre faveur, que sa
captivité lui est indifférente : il préfère mourir
plutôt que de partir.

Mais la demoiselle revient, voulant lui tenir
compagnie, le récréer, le divertir, lui procurer
et lui apporter à discrétion tout ce qu'il pourra
demander. Elle trouve le chevalier abîmé dans
ses pensées sous l'effet de l'amour qui en lui
s'est logé. Aussi lui lance-t-elle :

« Mon seigneur Yvain, quel a été votre sort
depuis mon départ ?

— Un sort qui m'a comblé.

— Comblé ? Par Dieu, dites-vous vrai ? Comment peut-il avoir un sort heureux, celui qui
sait qu'on le recherche pour le tuer ? C'est
qu'il aime sa propre mort et la désire.

— En vérité, fait-il, ma chère amie, je n'ai
nulle envie de mourir et, Dieu m'en soit témoin,
ce que je vis m'a plu infiniment, me plaît encore
et me plaira toujours.

— Brisons là sur ce chapitre, répond la
demoiselle, qui comprend fort bien à quoi
tendent ces paroles, je ne suis pas assez niaise

ni assez sotte pour ne pas entendre ce que parler
veut dire ; mais suivez-moi donc, car je vais
sans délai me mettre en peine de vous faire évader.
Je saurai parfaitement vous tirer d'affaire, si
vous y tenez, ce soir ou demain ; venez donc,
je vous emmène . »

Mais il réplique :

« Soyez-en sûre, je ne sortirai d'ici de longtemps, si ce doit être en cachette comme un
voleur. Quand les gens du château seront tous
réunis dans ces rues, là-dehors, je sortirai alors
avec plus d'honneur que je ne pourrais le faire
de nuit. »

A ces mots, il entre à sa suite dans la petite
chambrette. La malicieuse demoiselle consacra
tous ses soins à le servir, et lui fit généreusement
crédit de tout ce qui lui était nécessaire. Puis,
au moment voulu, elle se rappela les paroles
du prisonnier, le vif plaisir que, disait-il, lui
avait donné ce qu'il avait vu lorsque le cherchait
par toute la salle la troupe de ses ennemis mortels.

La demoiselle était si bien vue de sa dame
qu'elle ne craignait de rien lui confier, le sujet
fût-il d'importance, car elle était sa gouvernante
et sa suivante. Et pourquoi donc eût-elle redouté
de consoler sa dame et de la conseiller selon
ses intérêts ? La première fois, elle lui dit sans
témoin :

« Madame, grande est ma surprise devant
une aussi folle conduite ! Croyez-vous donc

recouvrer votre époux en vous lamentant de la sorte ?

— Hélas non, répond-elle, mais s'il ne tenait qu'à moi, je serais morte de chagrin.

— Pourquoi ?

— Pour le rejoindre.

— Le rejoindre ? Dieu vous en garde ! Puisse-t-il vous rendre un aussi bon époux, comme il en a le pouvoir.

— Jamais tu n'as dit semblable mensonge : il ne pourrait m'en rendre un aussi bon.

— Un meilleur encore, si vous l'acceptez, je vous le prouverai.

— Va-t-en, tais-toi ! Jamais je n'en trouverai de tel !

— Si fait, dame, si vous y consentez. Mais, dites-moi, sans vous fâcher : votre terre, qui la défendra quand le roi Arthur y viendra ? Car il doit venir la semaine prochaine au perron et à la fontaine. N'en avez-vous pas été informée par la Demoiselle Sauvage qui vous envoya une lettre à ce sujet ? Ah ! comme elle a bien employé son temps ! Vous devriez, en ce moment, prendre le parti de défendre votre fontaine et vous ne cessez de pleurer ! Il vous faudrait pourtant ne pas atermoyer, si vous vous décidiez, ma dame bien-aimée, car en vérité, à eux tous ils ne valent pas une chambrière, vous le savez fort bien, les chevaliers que vous avez ; même celui qui s'estime le plus vaillant ne prendra ni lance ni écu ! Des pleutres, vous en regorgez, mais il n'y en aura pas un d'assez hardi pour oser enfourcher une monture. Et le roi vient avec une si grande armée qu'il s'emparera de tout sans rencontrer de résistance. »

La dame se rend bien compte, au fond d'elle-même, que sa suivante la conseille en toute loyauté, mais elle a en elle une folie qui est l'apanage des femmes, toutes ou presque en sont atteintes : tout en reconnaissant leur fol entêtement, elles refusent de céder à leur désir.

« Va-t-en, fait-elle, laisse-moi en paix ! Que je t'en entende reparler désormais et mal t'en prendra si tu ne t'enfuis : ton bavardage m'exaspère !

— A la bonne heure, ma dame, reprend la demoiselle, on voit bien que vous êtes une femme, car femme se courrouce lorsqu'elle entend qu'on lui donne un sage conseil. »

Alors, elle se retire et la laisse seule. Et la dame se rendit compte qu'elle avait eu grand tort : elle aurait bien voulu savoir comment sa suivante pourrait prouver qu'il se trouvât un chevalier meilleur que ne fut jamais son époux ; elle ne serait pas fâchée de l'apprendre de sa bouche, mais elle s'y est opposée. En ce penser, elle attend le retour de la demoiselle qui, sans respecter aucune défense, reprend incontinent :

« Ah ! dame ! est-il donc admissible de vous faire ainsi mourir de chagrin ? Pour Dieu,

renoncez-y, laissez là ces pensées, au moins
par dignité : à si haute dame ne sied pas si
long deuil. Souvenez-vous de votre rang et
de votre grande noblesse. Croyez-vous que
toute prouesse soit morte avec votre époux ?
Il en reste de par le monde d'aussi vaillants
ou de meilleurs !

— Si tu ne mens, Dieu me confonde ! Et
pourtant, nomme-m'en un seul qui soit réputé
aussi brave que le fut votre époux pendant
toute sa vie.

— Mais vous m'en sauriez mauvais gré, le
courroux vous reprendrait, les menaces revien-
draient.

— Je n'en ferai rien, je t'en donne l'assurance.

— Eh bien, que ce soit pour votre bonheur
à venir, si vous décidiez d'être heureuse encore.
Je ne vois rien qui me force à me taire, puisqu'il
n'est personne pour nous entendre. Vous me
tiendrez sans doute pour impertinente, mais
je puis bien dire ceci, me semble-t-il : deux
chevaliers se sont mesurés en combat singulier, lequel croyez-vous qui mieux vaille,
quand l'un des deux à vaincu l'autre ? Pour
moi, je donne le prix au vainqueur. Et vous ?

— J'ai l'impression que tu me tends un piège,
tu veux me prendre au mot.

— Par ma foi, il vous est facile de voir que
je suis dans le vrai, et je vous prouve irréfuta-
ment que le vainqueur de votre époux lui était

supérieur : il l'a défait et de plus, pourchassé hardiment jusqu'ici, et l'a même enfermé dans sa propre demeure.

— Je viens d'entendre la plus grande extravagance qui jamais fut dite. Arrière, toi qu'habite l'esprit du mal, ne reviens jamais devant moi pour me dire un seul mot de lui.

— Certes, dame, je savais bien que vous ne me sauriez nul gré, je vous avais prévenue dès longtemps. Et pourtant, vous m'aviez promis de ne pas vous irriter, de ne pas me tenir rigueur. Vous n'avez pas tenu parole. Ainsi, qu'est-il advenu ? Vous m'avez dit tout ce qu'il vous a plu et moi j'ai perdu une bonne occasion de me taire . »

Elle regagne alors sa chambre, où séjourne mon seigneur Yvain, sur qui elle veille en ne le privant d'aucun agrément, mais tout lui est indifférent dès lors qu'il ne peut voir la dame. Quant aux propositions que fait pour lui la demoiselle, il ne s'en doute, il n'en sait mot.

Cependant la dame, toute la nuit, eut avec elle-même un long débat, toute préoccupée qu'elle était par la défense de sa fontaine. Elle commence à regretter d'avoir blâmé, rabroué et maltraité sa suivante : elle sait parfaitement que ce n'est ni l'espoir d'un loyer ou d'une récompense, ni l'intérêt qu'elle porterait au chevalier qui la firent jamais tenir de tels propos.

La demoiselle a plus d'amour pour elle que pour lui, et ses conseils ne viseraient ni à son déshonneur ni à son préjudice : c'est une trop loyale amie. Voici déjà la dame de tout autre humeur : pour celle qu'elle a malmenée, elle n'aurait jamais pensé, à aucun prix, devoir l'aimer à nouveau de tout cœur, et celui qu'elle a repoussé, elle l'a disculpé, de bonne foi, selon la raison et un juste procès : il n'a aucun tort envers elle.

Disputant exactement comme s'il se trouvait en sa présence, elle commence alors à mener les débats :

« Prétends-tu nier, fait-elle, avoir tué mon époux de ta main ?

— Cela, je ne puis en disconvenir, je l'avoue sans réserve.

— Dis-moi donc pourquoi tu l'as fait : pour me nuire, par haine, par mépris ?

— Que je meure à l'instant si jamais je le fis pour vous nuire.

— Donc, tu n'as commis nul forfait contre moi, et envers lui tu n'as eu aucun tort, car s'il avait pu, il t'aurait tué. Aussi, me semble-t-il, j'ai bien jugé, et conformément au droit. »

Ainsi se prouve-t-elle à elle-même, selon la justice, le bon sens et la raison, qu'elle ne doit pas le haïr, et son jugement répond aux désirs de son cœur. Elle s'enflamme d'elle-même, comme le feu qui fume et d'où la flamme tout à coup jaillit, sans qu'on souffle dessus ni qu'on l'attise. Si maintenant venait la demoiselle, nul doute qu'elle ne gagne la cause pour laquelle elle a tant plaidé, et qui lui a valu d'être bien rudoyée.

Elle revint dès le matin et reprit son antienne là où elle l'avait laissée. La dame tenait la tête baissée, se sentant coupable de l'avoir malmenée ; mais à présent, elle a bien l'intention de lui faire réparation et de lui demander le nom, la condition et le lignage du chevalier ; ayant la sagesse de s'humilier, elle dit :

« Je veux vous demander pardon des propos outrageants et blessants que je vous ai dits comme une insensée ; je resterai à votre école. Dites-moi plutôt, si vous le savez, ce chevalier dont vous m'avez si longuement entretenue, quel est-il, et de quelle famille ? S'il est d'un rang digne du mien, et pourvu qu'il n'y mette obstacle, je le ferai, je vous l'assure, seigneur de ma terre et de ma personne. Mais il faudra agir de sorte qu'on ne puisse jaser à mon sujet et dire : c'est celle qui a épousé le meurtrier de son mari.

— Au nom de Dieu, ma dame, il en sera ainsi. Vous aurez l'époux le plus noble, le plus gracieux et le plus beau qui jamais soit sorti du lignage d'Abel.

— Quel est son nom ?

— Mon seigneur Yvain.

— Par ma foi, il n'a rien d'un vilain, il est, je le sais bien, d'une haute noblesse : c'est le fils du roi Urien.

— Par ma foi, ma dame, vous dites vrai.

— Et quand pourrons-nous l'avoir ?

— D'ici cinq jours.

— Ce serait trop tarder ; s'il ne tenait qu'à moi, il serait déjà là. Qu'il vienne dès ce soir, ou demain au plus tard.

— Ma dame, je ne crois pas que même un oiseau puisse en un jour tant voler. Mais j'enverrai auprès de lui un de mes valets, un courrier rapide, qui sera, je l'espère, à la cour du roi Arthur d'ici demain soir au plus tard. On ne pourra le joindre avant.

— Ce terme est bien trop éloigné : les jours sont longs. Dites-lui plutôt d'être de retour ici demain soir, et d'aller plus vite que de coutume, car s'il veut s'en donner la peine, de deux journées, il en fera une ; d'ailleurs, cette nuit, la lune luira ; qu'il fasse de la nuit un second jour, et je lui donnerai à son retour tout ce qu'il voudra.

— Laissez-moi donc le soin de cette affaire ; vous l'aurez auprès de vous d'ici trois jours tout au plus. Dès demain, vous convoquerez vos gens et leur demanderez conseil à propos de la venue du roi. Afin de maintenir la coutume, il faudra prendre des mesures salutaires pour défendre votre fontaine, et il n'y en aura pas un, aussi téméraire soit-il, qui ose se vanter de remplir cet office. Alors, vous pourrez déclarer à bon droit qu'il vous est nécessaire de prendre un époux. Un chevalier de grand renom demande votre main, mais vous craignez de l'accepter s'ils n'approuvent tous votre choix et ne vous assurent de leur consentement. Je les sais si poltrons que, pour charger autrui du faix dont ils seraient tous accablés, ils viendront en cohue se jeter à vos pieds, et ils vous rendront mille grâces, délivrés qu'ils seront d'une frayeur extrême. Qui a peur de son ombre a bien soin d'esquiver les rencontres à la lance ou au javelot, car ce sont là mauvais jeux pour un couard.

— Par ma foi, répond la dame, je le veux, j'y consens. J'avais déjà songé au plan que vous venez de m'exposer, et nous allons le suivre point par point. Mais pourquoi restez-vous ici ? Allez ! Ne tardez pas davantage ! Faites tout pour l'amener ; quant à moi, je vais convoquer mes gens . »

Ainsi s'achève l'entretien. La demoiselle feint d'envoyer chercher mon seigneur Yvain dans sa terre ; journellement, elle lui donne un bain, lui lave et lisse les cheveux, et en outre, elle lui prépare une robe d'écarlate vermeille, fourrée de vair, et encore toute poudrée de craie. Il n'est rien qu'elle ne lui prête de ce qui doit compléter sa parure : pour agrafer le col, un fermail d'or serti de ces pierres précieuses que l'on travaille en ce pays si finement, une ceinturette et une aumônière taillée dans un riche brocard ; elle n'a rien omis pour le rendre élégant. Puis elle annonce en secret à sa dame le retour de son messager : il s'est habilement acquitté de sa tâche.

« Comment, fait celle-ci, quand viendra mon seigneur Yvain ?

— Il est déjà ici.

— Ici ? Venez donc vite, le plus discrètement possible, cependant que je suis sans compagnie. Prenez garde que nul autre ne vienne, car je n'aurais que haine pour le quatrième. »

La demoiselle se retire ; elle va retrouver son hôte, sans laisser paraître sur son visage la joie qu'elle a au cœur ; bien mieux, elle dit que sa dame sait qu'elle lui a donné asile, et ajoute :

« Mon seigneur Yvain, de par Dieu, plus n'est besoin de faire aucun mystère, vos affaires en sont arrivées à ce point que ma dame vous sait ici ; elle se répand contre moi en blâmes et en remontrances, et m'en a fait de véhéments reproches ; mais elle m'a donné de si formelles garanties, que je puis vous conduire devant elle, sans qu'il vous arrive aucun mal. Elle ne vous nuira en rien, je pense, à une seule condition que je ne dois point vous cacher, car je commettrais une trahison : elle veut vous avoir en sa prison, et elle y veut toute votre personne, sans que même le cœur en soit exclu.

— C'est l'objet de mes vœux, répond-il, et il ne m'en coûte rien, car devenir son prisonnier est le plus cher de mes désirs.

— Vous le serez, par la main droite dont je vous tiens ! Venez donc, mais croyez-moi, ayez en face d'elle une contenance si humble qu'elle ne vous rende la prison pénible. Mais n'en ayez pas d'inquiétude, je n'ai pas l'impression qu'on vous réserve une captivité trop rigoureuse. »

La demoiselle alors l'emmène ; elle l'effraie et puis le rassure tour à tour, en lui parlant à mots couverts de la prison où on va l'enfermer, car il n'est nul ami qui ne soit prisonnier et c'est à bon droit qu'elle lui donne ce nom : tout amant est un vrai captif. Le tenant par la main, la demoiselle mène mon seigneur Yvain là où il sera chèrement aimé. Il craint pourtant d'être mal accueilli, et s'il le craint, comment s'en étonner ? Ils trouvèrent la dame assise sur une grande couette vermeille. Mon seigneur Yvain éprouva, je vous assure, une peur peu commune en entrant dans la chambre : la dame est devant eux, elle ne lui dit pas un mot ; cet accueil le glace d'effroi, il en reste interdit, persuadé d'être trahi. Il se tient à l'écart, jusqu'à ce que la jeune fille s'écrie :

« Cinq cents fois maudite soit l'âme de celle qui conduit dans la chambre d'une belle dame un chevalier qui n'ose l'approcher, et qui n'a

ni langue ni bouche ni esprit pour savoir lier
connaissance . »

Aussitôt, le tirant par le bras, elle ajoute :
« Approchez-vous donc, chevalier, n'ayez pas
peur que ma dame vous morde ; demandez-
lui plutôt paix et concorde ; je vais la prier
avec vous de vous pardonner la mort d'Esclados
le Roux, qui était son époux. »

Sans plus tarder, mon seigneur Yvain joint
les mains, tombe à genoux, et parle en véritable
ami :

« Ma dame, en vérité, je n'implorerai pas
votre merci, au contraire, je vous remercierai
de tout ce qu'il vous plaira de me faire, car rien
de votre part ne saurait me déplaire.

— Rien, seigneur ? Et si je vous fais tuer ?

— Dame, je vous en rendrai grâce : venant
de moi, vous n'entendrez d'autre parole.

— Jamais je n'ai rien entendu de tel : vous
vous mettez à souhait en mon entière discrétion
sans même que je vous y force !

— Dame, nulle force n'est aussi forte, sans
mentir, que celle qui m'enjoint de consentir
sans réserve à votre vouloir. Je ne redoute d'accomplir aucune chose qu'il vous plaise de
m'ordonner, et si je pouvais réparer le meurtre
dont je suis coupable envers vous, je le ferais
sans discussion.

— Comment ? fait-elle : dites-moi donc —
et soyez quitte de l'expiation — n'avez-vous

eu aucun tort envers moi en tuant mon époux ?

— Dame, fait-il, pardonnez-moi, lorsque votre époux m'attaqua, quel tort ai-je eu de me défendre ? Un homme veut en tuer un autre ou le faire prisonnier ; celui qui se défend le tue ; dites-moi donc s'il a le moindre tort.

— Non, bien sûr, au regard du droit ; et j'en suis convaincue, il ne me servirait à rien de vous avoir fait mettre à mort. Mais j'ai grand désir de savoir d'où peut bien venir la force qui vous enjoint de consentir sans restriction à mon vouloir. Je vous tiens quitte de tout tort comme de tout méfait, mais asseyez-vous et contez-moi comment vous êtes ainsi dompté.

— Dame, fait-il, cette force vient de mon cœur qui vous est attaché ; c'est mon cœur qui m'a soumis à votre vouloir.

— Et le cœur, qui l'a soumis, cher et tendre ami ?

— Dame, mes yeux.

— Et les yeux, qui ?

— La grande beauté que j'ai vue en vous.

— Et la beauté, quel fut son crime ?

— Ma dame, celui de me faire aimer.

— Aimer, et qui ?

— Vous, dame très chère.

— Moi ?

— C'est pure vérité.

— De quelle manière ?

— D'une manière telle qu'il ne peut y avoir

de plus grand amour ; telle que mon cœur ne vous quitte pas et que jamais ailleurs je ne le trouve ; telle qu'ailleurs je ne puis mettre mes pensées ; telle qu'à vous je m'abandonne sans réserve ; telle que je vous aime bien plus que moi-même, telle qu'à votre gré, si c'est votre désir, pour vous je veux mourir ou vivre.

— Et oseriez-vous entreprendre de défendre pour moi ma fontaine ?

— Oui, certes, ma dame, contre n'importe qui.

— Alors sachez que la paix est faite entre nous . »

Les voilà promptement réconciliés. La dame avait, auparavant, réuni le conseil de ses barons ; aussi dit-elle au chevalier :

« Rendons-nous dans la salle où sont assemblés ceux qui m'ont donné leur approbation et m'autorisent à prendre mari, en raison de la nécessité qu'ils y voient. Mais ici-même je me donne à vous et je ne reviendrai pas sur ma décision, car je ne dois refuser pour époux un vaillant chevalier, un fils de roi . »

La demoiselle a donc parfaitement réalisé tous ses projets ; mon seigneur Yvain n'en fut pas fâché, je puis bien vous le témoigner. — La dame l'emmène avec elle dans la salle qui foisonnait en chevaliers et hommes d'armes ; mon seigneur Yvain était d'une telle prestance que l'émerveillement fut unanime ; en leur honneur, ils se levèrent tous ensemble et tous ensem-

ble, en s'inclinant, ils saluèrent mon seigneur
Yvain ; et de conjecturer :

« Voici celui qu'épousera ma dame ; au diable
qui le lui interdira, car en lui tout révèle à merveille
un parfait chevalier. Vraiment, l'impératrice
de Rome aurait en lui un époux digne d'elle.
Ah ! que ne lui a-t-il déjà juré sa foi, et elle la
sienne, la main dans la main, il pourrait l'épouser
aujourd'hui ou demain. »

Tels étaient les propos que l'on entendait
se succéder. Au fond de la salle, il y avait un
banc, où la dame alla prendre place, visible
ainsi aux yeux de l'assemblée. Mon seigneur
Yvain montra l'intention de s'asseoir à ses
pieds ; elle l'invita à se relever, puis engagea
son sénéchal à prononcer son discours de manière
que nul n'en perde une parole. Alors le sénéchal,
qui n'était ni fou ni écervelé, commença en
ces termes :

« Seigneurs, la guerre nous menace, il n'est
de jour que le roi ne s'équipe, sans négliger
aucun préparatif, pour venir dévaster nos terres.
Avant que passe la quinzaine, tout ne sera ici
que ruine, si nous n'avons un vaillant défenseur.
Lorsque ma dame se maria, il n'y a pas encore
six ans révolus, ce fut sur vos conseils. Son mari
est mort, quel malheur pour elle ! Il n'a plus
à présent qu'une toise de terre, celui qui possédait ce pays tout entier et qui le gouvernait
si bien ; c'est grand dommage qu'il ait si peu

vécu. La femme n'est pas faite pour porter
l'écu, ni pour manier la lance ; ma dame peut
pallier cette faiblesse et devenir puissante en
prenant un vaillant époux. Jamais encore elle
n'en eut plus grand besoin. Incitez-la donc
à prendre un époux plutôt que de laisser perdre
la coutume en vigueur dans ce château depuis
plus de soixante ans. »

A ces mots, ils répondent tous ensemble
que ce projet leur paraît excellent, et venant
se jeter tous en foule à ses pieds, ils la pressent
d'accomplir sa propre volonté ; elle se fait
prier de satisfaire à son vœu le plus cher, si
bien qu'à la fin, comme à contre-cœur, elle
accorde ce qu'elle eût fait, même si chacun
d'eux le lui eût refusé :

« Seigneurs, dit-elle, puisque c'est là votre
désir, ce chevalier qui est assis auprès de moi
m'a vivement sollicitée et recherchée ; il veut
être mon homme lige et se vouer à mon service
et je lui en rends grâce ; vous, de votre côté,
rendez-lui grâce également. Certes, je ne le
connaissais pas avant ce jour, mais bien souvent
j'ai entendu parler de lui, car c'est le fils du
roi Urien. Outre qu'il est de haut parage, sa
vaillance est grande, et il a tant de courtoisie
et de sagesse qu'on ne doit point me détourner
de lui. Le nom de mon seigneur Yvain n'est
inconnu, je pense, à aucun d'entre vous, c'est
lui-même qui demande ma main. C'est un

époux bien trop noble pour moi que j'aurai le jour du mariage. »

Et tous de s'écrier :

« Jamais ce jour ne passera, si vous agissez sagement, sans que vous ne l'ayez conclu : bien fou qui tarde une seule heure à réaliser son profit. »

Ils la prient tant qu'elle consent à faire ce qu'elle eût fait de toute façon, car c'est Amour qui lui ordonne d'accomplir ce dont elle requiert l'approbation ; mais elle prend un mari avec bien plus d'honneur, puisqu'elle a le consentement de ses gens ; leurs prières, loin de l'importuner, l'engagent et l'incitent à suivre l'inclination de son cœur. Le fringant cheval court plus vite encore quand on l'éperonne ; en présence de tous ses barons, la dame se donne à mon seigneur Yvain. De la main d'un chapelain du château, il a reçu dame Laudine de Landuc, la fille du duc Laududet, dont on chante un lai ; le jour même, sans retard, les noces furent célébrées. On y vit abonder mitres et crosses, car la dame y avait mandé les évêques et les abbés. Grande fut l'affluence des seigneurs de haute noblesse, grandes furent la joie et l'allégresse, plus que je ne pourrais vous le conter, même après y avoir consacré bien du temps, et j'aime mieux m'en taire que d'en dire davantage.

Désormais, mon seigneur Yvain est seigneur

un fond toujours brutal quand-même quand chose pas à l'époque

et maître, et le mort est bien oublié ; voilà marié celui qui le tua ; il a sa veuve pour épouse, ils partagent la même couche ; et les gens ont pour le vivant bien plus d'affection et d'estime qu'ils n'en eurent jamais pour le mort. On le servit au mieux lors de ses noces qui durèrent jusqu'à la veille du jour où le roi vint à la fontaine et à la pierre merveilleuse avec ses compagnons ; tous ceux de sa maison, sans exception, étaient de cette chevauchée, pas un seul n'était resté.

« Par Dieu, disait mon seigneur Keu, qu'est donc devenu mon seigneur Yvain ? Il n'est pas venu, lui qui se vanta, après le repas, d'aller venger son cousin ! On voit bien que c'était après boire ! Il s'est enfui, je le devine, car il n'aurait osé venir pour rien au monde. Comme il s'est là vanté, et avec quelle outrecuidance ! Bien hardi qui s'ose targuer de ce dont autrui ne le loue, et qui n'a pour prouver sa gloire que ses louanges fallacieuses. Grande est la distance entre le lâche et la brave ; le lâche, au coin du feu, ne tarit point sur sa personne et tient tout le monde pour niais, s'il croit qu'on ne le perce pas à jour. Mais le brave serait à la torture d'entendre célébrer par d'autres la vaillance de sa conduite. Pourtant, en vérité, je suis entièrement d'accord avec le lâche, car il n'a pas tort : s'il ne dit du bien de lui, qui en dira ? Les hérauts les passent à ce point sous silence, lorsqu'ils proclament les noms des vaillants et envoient les lâches à tous les diables, que cette engeance ne trouve personne qui mente en sa faveur. »

Ainsi parlait mon seigneur Keu, et mon seigneur Gauvain disait :

« Pitié, mon seigneur Keu, pitié ! Si mon seigneur Yvain n'est pas ici pour l'instant, vous ne savez quels empêchements le retiennent. Jamais, soyez-en sûr, il ne s'est abaissé à vous couvrir d'outrages, tant il excelle en courtoisie.

— Seigneur, je me tais donc, vous ne m'en entendrez plus parler aujourd'hui, puisque, je le vois, mes propos vous pèsent. »

Alors le roi, pour voir la pluie, répandit un plein bassin d'eau sur le perron, sous le pin ; aussitôt, il plut à torrents. La suite ne se fit pas attendre longtemps ; mon seigneur Yvain, sans retard, entra tout en armes dans la forêt et arriva à fond de train sur un cheval très grand, massif, robuste, impétueux et rapide. Et il prit envie à mon seigneur Keu de réclamer l'honneur de la bataille ; quelle qu'en fût l'issue, il voulait toujours commencer les tournois et les joutes, sinon il en montrait une fureur extrême. Il vient aux pieds du roi se jeter le premier pour obtenir cette faveur.

« Keu, fait le roi, puisque tel est votre désir, et qu'avant tous vous m'en avez prié, elle ne doit pas vous être déniée. »

Keu l'en remercie et enfourche sa monture.

Si mon seigneur Yvain peut à présent lui infliger quelque avanie, il en sera ravi et il le fera de grand cœur, car il le reconnaît sans peine à son armure. Il prend son écu par les énarmes, et Keu le sien, puis ils foncent l'un contre l'autre, piquent des deux, baissent les lances qu'ils tiennent au poing ; ils les ont fait glisser quelque peu vers l'avant, au point de ne plus les tenir que par le bout garni de peau, et quand ils en viennent aux prises, ils s'acharnent à frapper de tels coups qu'ils brisent les deux lances à la fois et les fendent jusque dans leurs poings. Mon seigneur Yvain gratifie Keu d'un coup si rude que celui-ci, vidant sa selle, fait la culbute et vient atterrir sur le heaume. La leçon est bien suffisante, estime mon seigneur Yvain, qui se contente, mettant pied à terre, de lui prendre son cheval. Maints spectateurs s'en réjouirent, et il n'en manque pas pour dire :

« Eh ! eh ! comme vous voilà affalé, vous qui raillez les autres ! C'est justice pourtant qu'on vous le pardonne pour cette fois, car pareille mésaventure jamais ne vous advint. »

Entre-temps, mon seigneur Yvain se présenta devant le roi, menant le cheval par la bride afin de le lui rendre.

« Sire, lui dit-il, prenez ce cheval, car j'agirais bien mal si je gardais rien qui vous appartînt.

— Mais qui êtes-vous ? fait le roi. Ce n'est pas de sitôt que je vous reconnaîtrais au parler si je ne vois votre visage ni ne vous entends vous nommer. »

Alors mon seigneur Yvain révèle son nom ; Keu en est accablé de honte, consterné, interdit, anéanti, lui qui l'accusait d'avoir fui. Mais chez les autres quelle liesse, on exulte de voir le chevalier couvert de gloire. Le roi lui-même s'en réjouit fort, mais mon seigneur Gauvain en a cent fois plus de joie que quiconque : il appréciait sa compagnie plus que celle d'aucun chevalier qu'il connût. Le roi le prie instamment de leur dire, si ce n'est l'importuner, comment il était arrivé là, car il mourait d'envie de connaître toute son aventure ; il le conjure avec chaleur de leur faire un récit fidèle. Et lui de tout conter, sans omettre le dévouement si généreux que la demoiselle eut pour lui ; il ne commit aucune erreur et n'oublia aucun détail. Ensuite il pria le roi de venir se loger chez lui avec tous ses chevaliers ; ce serait pour lui un honneur et une joie que de les accueillir. Le roi répondit que très volontiers, pendant huit jours entiers, il lui ferait cette amitié et cette joie de rester en sa compagnie. Mon seigneur Yvain l'en remercie et sans plus de demeure, ils se mettent en selle et s'en vont droit vers le château. Toutefois, mon seigneur Yvain dépêche en avant de la troupe un écuyer qui portait un faucon gruyer, pour que la dame ne soit pas surprise et que ses gens décorent les maisons en vue d'honorer le roi.

Quand la dame apprend l'arrivée du roi, elle en a le cœur plein de joie. Il n'est personne qui, au bruit de la nouvelle, ne se réjouisse et reste insensible. La dame les engage vivement à se porter tous au devant du roi : aucun d'eux n'y rechigne, aucun d'eux n'en maugrée, empressés qu'ils étaient d'accomplir son vouloir. A la rencontre du roi de Bretagne, ils s'avancent tous sur de grands chevaux d'Espagne, et ils saluent d'une immense ovation le roi Arthur d'abord, puis toute son escorte :

« Bienvenue, s'écrient-ils, à cette troupe si riche en preux chevaliers. Béni celui qui les conduit, et nous donne des hôtes aussi valeureux. »

En l'honneur du roi, le château retentit de la joie qu'on y mène. On sort les étoffes de soie pour les tendre en manière d'ornement, et des *courtoisie* tapis on fait un pavement, en les étendant par les rues afin d'honorer le roi qu'on attend. Autre préparatif encore : pour le protéger du soleil, on déploie des courtines au-dessus des rues. Cloches, cors et buccins font résonner le château avec tant de force que l'on n'entendrait pas Dieu tonner. Pour célébrer son arrivée dansent les jeunes filles, au son des flûtes et des vielles, des timbres, des fretels et des tambours ; tout près de là, les légers acrobates exécutent leurs cabrioles ; tous rivalisent de gaîté, et c'est au milieu de cette allégresse qu'ils offrent à leur maître l'accueil qu'ils lui doivent.

Mais voici que paraît la dame, vêtue d'une robe impériale bordée d'hermine toute fraîche, avec au front un diadème entièrement serti de rubis ; loin d'avoir la mine chagrine, elle arborait un si joyeux sourire qu'elle était, sans mentir, plus belle que nulle déesse. A l'entour se pressait la foule et tous clamaient l'un après l'autre :

« Bienvenu soit le roi, le seigneur des rois et des seigneurs de ce monde ! »

Incapable de rendre à chacun son salut, le roi voit s'avancer vers lui la dame qui veut lui tenir l'étrier, mais, soucieux de prévenir son geste, il saute à bas de son cheval dès l'instant qu'il la voit ; ayant mis pied à terre, il est salué par la dame en ces termes :

« Que cent mille fois bienvenu soit le roi mon seigneur et béni soit mon seigneur Gauvain, son neveu.

— Et que votre personne tout entière, répond le roi, ô belle créature, connaisse la joie et un bonheur sans mélange. »

Puis le roi, en vrai gentilhomme, l'embrassa en la prenant par la taille et elle de même, à pleins bras. Je tairai l'accueil qu'elle fit aux autres, mais jamais encore je n'entendis parler d'une suite aussi bien fêtée, aussi bien servie et comblée d'égards. J'aurais beaucoup à vous conter sur ces réjouissances si je ne craignais de gaspiller mes paroles.

Mais je veux faire un bref rappel de l'entrevue qui eut lieu en privé entre la lune et le soleil. Savez-vous de qui je veux parler ? Celui qui était la fleur de chevalerie et dont la renommée l'emportait sur toute autre mérite bien d'être appelé « soleil ». C'est mon seigneur Gauvain que je désigne ainsi : il illumine la chevalerie tout comme le soleil, le matin, déploie ses rayons et dispense sa clarté dans tous les lieux où il se répand. Et par « lune » j'entends celle dont il n'existe qu'un modèle unique d'une telle fidélité et d'un tel dévouement. Je ne le dis pas toutefois pour le seul éclat de son bon renom, mais parce qu'elle avait nom Lunete.

Tel était donc son nom ; c'était une avenante brunette, aimable et ne manquant ni d'esprit ni de ruse. Elle noue de tendres liens avec mon seigneur Gauvain qui a pour elle grande estime et grand amour et qui l'appelle son amie puisqu'elle a préservé de la mort son compagnon, son cher ami ; aussi lui fait-il sans réserve l'offre de son service. Elle, de son côté, lui raconte en détail au prix de quelles peines elle a persuadé sa dame d'épouser mon seigneur Yvain et comment elle a sauvé ce dernier des mains de ceux qui le cherchaient : il était parmi eux et nul ne le voyait ! Mon seigneur Gauvain rit à gorge déployée au récit de cette aventure ; à la fin, il lui dit :

« Ma demoiselle, je vous fais don, en ma personne, d'un chevalier dont vous pourrez disposer à loisir ; ne me préférez pas un autre si vous ne croyez pas gagner en valeur à ce change ; je suis vôtre ; quant à vous, soyez, dorénavant, ma demoiselle.

— Je vous en rends grâce, seigneur, lui répond-elle. »

Ainsi ces deux-là se fréquentaient volontiers tandis que les autres se consacraient au doux badinage d'amour, car il y avait là, peut-être, quatre-vingt-dix dames dont chacune était belle, gracieuse, distinguée, élégante, honnête, point sotte, dames de noble naissance et de haut parage ; avec elles les chevaliers pouvaient se divertir, les prendre par le cou, leur donner des baisers, leur parler, les voir ou s'asseoir à leurs côtés : ils eurent tout au moins ce dernier privilège.

Quelle fête pour mon seigneur Yvain de voir le roi demeurer auprès de lui ; et la dame leur rend tant de marques d'honneur, à chacun pris à part comme à tous à la fois, qu'il est plus d'un sot pour s'imaginer que ses attentions et son souriant accueil lui sont inspirés par l'amour .Et l'on peut bien appeler niais ceux qui se croient aimés parce qu'une dame est assez courtoise pour s'approcher d'un malheureux, lui faire fête et l'accoler ; un sot est transporté par de belles paroles et l'on a vite fait de se jouer de lui.

C'est en grande liesse qu'ils ont passé leur
temps, toute la semaine durant : les plaisirs
de la chasse en forêt ou au gibier d'eau ne firent
point défaut à ceux qui en était friands ; et
pour celui qui voulut voir la terre que mon
seigneur Yvain avait acquise en épousant la
dame, il put aussi aller s'ébattre à six lieues,
ou cinq ou quatre, par les châteaux des environs.

Quand le roi eut tant séjourné qu'il ne voulut
s'attarder davantage, il fit préparer son départ.
Mais au cours de cette semaine, aucun de ses
compagnons n'avait ménagé ni ses prières ni
sa peine pour obtenir de mon seigneur Yvain
qu'il les accompagnât.

« Comment ! Serez-vous maintenant de ceux,
lui disait mon seigneur Gauvain, qui valent moins
à cause de leur femme ? Honni soit par Sainte
Marie celui qui pour déchoir se marie. Qui a pour
amie ou pour femme une dame de grande beauté
doit y gagner en valeur, car il est juste qu'elle
cesse de l'aimer, dès lors que son renom et
sa gloire déclinent. A coup sûr, son amour
vous causera un jour bien du dépit, si vous vous
mettez à déchoir. Une femme a bien vite repris
son amour, et elle n'a pas tort de mépriser celui
qui devient pire à cause d'elle, dès qu'il est
maître du royaume. Plus que jamais votre
renom doit croître. Rompez le frein et le chevêtre,
nous irons courir les tournois vous et moi,
afin que l'on ne vous appelle point jaloux.

les 2 codes — peut-on les accorder ?

Vous ne devez pas rêvasser, mais hanter les tournois et vous y engager, et tout abandonner, coûte que coûte. Grand rêvasseur qui ne sort de chez soi ! Aucun doute, il vous faut venir, vous n'aurez aucune autre échappatoire. Veillez, cher compagnon, qu'en vous ne disparaisse notre fraternité, car ce n'est pas moi qui y mettrai fin. N'est-il pas étonnant qu'on estime un plaisir qui toujours se prolonge ! Un bonheur retardé gagne en saveur et plaisir léger, remis à plus tard, est plus doux à goûter qu'une félicité savourée sans répit. La joie d'amour qui tarde ressemble à la bûche verte qui brûle et rend une chaleur d'autant plus grande et plus durable qu'elle est plus lente à s'allumer. On peut prendre telle habitude dont on se défait à grand-peine : quand on le veut, il est trop tard. Je ne dis pas, mon cher et doux ami, si j'avais une aussi belle amie que la vôtre, par la foi que je dois à Dieu et à tous les saints, avec quel chagrin je la quitterais ! Je crois que je serais fou d'elle. Tel donne à autrui d'excellents conseils, qui ne saurait se conseiller soi-même, tout comme les prêcheurs qui, masquant leurs débauches, consacrent au bien d'édifiants sermons, sans nulle intention de le pratiquer ! »

Mon seigneur Gauvain lui tint si souvent ce langage et si souvent lui fit cette requête que son compagnon lui promit d'en faire part à son épouse ; il s'en irait s'il pouvait obtenir d'elle son congé ; que ce soit folie ou sagesse, il n'omettra rien pour qu'on l'autorise à s'en retourner en Bretagne. Prenant à part la dame qui ne se doute de rien, il lui dit :

« Ma très chère dame, vous qui êtes mon cœur et mon âme, mon bonheur, ma joie et mon salut, accordez-moi un don, pour votre honneur et pour le mien. »

La dame sur-le-champ le lui accorde, ignorant l'objet de cette requête.

« Cher seigneur, lui dit-elle, vous pouvez me commander ce que bon vous semblera. »

Aussitôt mon seigneur Yvain lui demande la permission d'accompagner le roi et d'aller combattre dans les tournois, afin qu'on ne l'appelle pleutre.

« Je vous accorde ce congé, lui répond-elle, pour un temps seulement. Mais mon amour pour vous deviendra haine, soyez-en convaincu, si vous dépassiez le délai que je vais vous fixer ; sachez que je tiendrai parole : si vous, vous mentez, je dirai, moi, la vérité. Si vous voulez conserver mon amour, et si vous me chérissez quelque peu, songez à revenir bien vite, dans un an au plus tard, huit jours après la Saint-Jean, dont c'est aujourd'hui l'octave. Vous perdrez mon amour à jamais si ce jour-là vous n'êtes de retour ici auprès de moi. »

Mon seigneur Yvain verse tant de larmes et soupire si fort qu'il a grand-peine à dire :

« Ma dame, ce terme est bien éloigné. Si je pouvais être pigeon chaque fois que je le voudrais, je serais bien souvent auprès de vous. Et je prie Dieu que, si telle est sa volonté, il m'interdise une aussi longue absence. Mais tel compte revenir vite qui ne connaît pas l'avenir. Et je ne sais ce qui m'arrivera : quelque empêchement peut me retenir, maladie ou captivité ; aussi êtes-vous bien injuste de n'excepter au moins la contrainte physique.

— Seigneur, dit-elle, je réserve ce cas ; et pourtant je vous certifie que, si Dieu vous préserve de la mort, nulle difficulté ne vous attend aussi longtemps que vous vous souviendrez de moi. Mais passez-vous donc au doigt cet anneau : il m'appartient ; je vous le prête ; la vertu de sa pierre, je vais vous la révéler sans ambages : sous sa protection, nul amant sincère et loyal n'est captif ni ne perd de sang, il ne peut lui arriver aucun mal ; mais qui le porte et le chérit garde le souvenir de son amie et en devient plus dur que fer ; il vous tiendra lieu d'écu et de haubert ; et croyez-moi, jamais à un seul chevalier je n'ai voulu le prêter ni le donner : c'est par amour pour vous que je vous en fais don. »

Voilà donc mon seigneur Yvain libre de partir : que de pleurs à l'instant des adieux ! Mais le roi refusa d'attendre davantage, rien ne le fit céder et il lui tardait que l'on eût amené tous leurs palefrois harnachés. Dès qu'il en eut donné l'ordre, ce fut tôt fait ; on sort les palefrois, il ne reste plus qu'à se mettre en selle.

Faut-il m'attarder à conter le départ de mon seigneur Yvain et les baisers qu'on lui accorde, mêlés de larmes et embaumés de douceur ? Et du roi, que vous conterais-je, comment la dame l'accompagne, et ses suivantes avec elle, et tous ses chevaliers aussi ? J'y passerais bien trop de temps. Voyant la dame tout en pleurs, le roi la prie de s'arrêter et de regagner sa demeure ; il se fait si pressant qu'au prix d'une peine infinie elle s'en retourne, emmenant ses gens.

* * *

Mon seigneur Yvain, bien contre son gré, s'est séparé de son amie, alors que son cœur ne la quitte pas. Le roi emporte le corps, mais du cœur il n'emportera nulle parcelle. Car ce cœur est si étroitement attaché au cœur de la délaissée qu'il n'a pouvoir de l'emmener ; lorsque le corps est sans le cœur, il ne peut vivre en aucune façon ; et que le corps survive sans le cœur, on n'a jamais vu semblable prodige. Ce prodige pourtant n'est-il pas arrivé pour mon seigneur Yvain ? Son corps a retenu la vie sans le cœur qui, ayant coutume d'y loger, ne voulait le suivre davantage. Le cœur a trouvé

bon séjour et le corps vit dans l'espérance de
retourner vers lui. Il a pourtant le cœur fait
d'étrange manière, cet amant qui se vante
d'un espoir perfide et déloyal dans ses promesses.
Il ne connaîtra pas, je crois, le moment où son
espérance l'aura trahi ; car s'il dépasse d'un
seul jour le terme qu'ils ont fixé en commun,
c'est à grand-peine désormais qu'il obtiendra
trêve ou paix de sa dame. Et il le dépassera,
j'en suis sûr, car mon seigneur Gauvain ne
permettra point qu'il le quitte.

Aux tournois ils vont de compagnie, partout
où l'on en donne. Cependant l'année s'écoula,
et durant tout ce temps, mon seigneur Yvain
se montra si valeureux que mon seigneur Gauvain
ne perdit pas une occasion de seconder sa gloire.
Et il le fit tellement s'attarder que l'année entière
passa, puis une partie notable de la suivante,
jusqu'à la mi-août, époque où le roi réunit
sa cour pour des festivités.

Les deux compagnons étaient revenus la
veille d'un tournoi auquel mon seigneur Yvain
avait pris part ; ils en avaient remporté tout
l'honneur, à ce que dit le conte, ce me semble.
Ayant décidé de concert qu'ils ne logeraient
pas en ville, ils firent tendre leur pavillon hors
les murs et y tinrent leur cour : ils ne parurent
point à la cour du roi, c'est le roi au contraire
qui vint à la leur, car en leur compagnie se
trouvait la fleur des chevaliers et la plupart
d'entre eux.

Le roi Arthur présidait cette cour quand
Yvain se prit à songer : jamais, depuis l'instant
où il avait pris congé de sa dame, il n'avait
été envahi par de telles méditations : il était
conscient d'avoir manqué à sa promesse et
d'avoir outrepassé le délai. Il retenait à grand-
peine ses larmes, seule la honte les empêchait
de couler.

Il était encore dans ces pensées quand soudain
parut une demoiselle qui venait droit vers eux :
elle arrivait au grand galop, montant un palefroi
noir à balzanes ; devant leur pavillon elle mit
pied à terre, mais nul ne l'aida à descendre,
nul n'alla prendre son cheval. Sitôt qu'elle
aperçut le roi, elle laissa tomber son manteau,
pénétra dans le pavillon et se présenta devant
lui :

« Ma dame, dit-elle, salue le roi et mon seigneur
Gauvain, et tous les autres, à l'exception d'Yvain,
le menteur, le trompeur, le déloyal, le fourbe
qui l'a trompée et abusée ; elle a bien découvert
sa perfidie : il se faisait passer pour un parfait
amant, mais il n'était qu'un traître, un imposteur
et un voleur ; ce voleur a trompé ma dame qui,
n'ayant l'expérience d'aucune bassesse, ne pouvait nullement s'imaginer qu'il dût lui dérober
son cœur ; les vrais amants ne commettent
pas de tels vols, et ceux-là seuls les traitent
de voleurs qui sont aveugles en amour et n'y
entendent rien. L'ami vrai prend le cœur de son

amie, non point pour le lui voler mais pour
le garder en dépôt, et ceux qui dérobent les
cœurs, les voleurs qui contrefont les hommes
de bien, ce sont eux les hypocrites larrons,
les traîtres qui s'emploient à dérober des cœurs
dont ils se moquent ; mais l'ami, où qu'il aille,
chérit le cœur à lui confié, et le rapporte. Mon
seigneur Yvain a tué ma dame, car elle pensait
bien qu'il garderait précieusement son cœur
et qu'il le lui rapporterait avant que l'année
ne fût écoulée. Yvain, tu t'es montré fort oublieux
en ne sachant te souvenir que tu devais revenir
auprès de ma dame avant un an ; jusqu'à la
fête de Saint-Jean, tel fut le délai qu'elle t'ac-
corda ; et jamais depuis tu ne t'en souvins,
tellement tu la dédaignas. Ma dame a marqué
dans sa chambre tous les jours et tous les instants,
car l'être qui aime est dans l'anxiété, et sans
jamais pouvoir trouver le vrai sommeil, compte
et additionne toute la nuit les jours qui viennent
et s'en vont. C'est ainsi que procèdent les amants
loyaux pour lutter contre le temps qui passe.

Ces griefs ne sont ni déraisonnables ni préma-
turés et mon propos n'est pas de faire un réquisi-
toire, la seule doléance est que nous a trahis
celui qui a outrepassé le délai fixé par ma dame.
Yvain, ma dame n'a plus pour toi qu'indiffé-
rence, elle te fait savoir, par mon intermédiaire,
de ne jamais revenir auprès d'elle et de ne pas
garder son anneau davantage. C'est par moi,

que tu vois ici présente, qu'elle te demande
de le lui envoyer : rends-le lui, il le faut. »

Yvain est impuissant à lui répondre, l'esprit,
les mots lui font défaut ; la demoiselle alors
s'élance et lui ôte l'anneau du doigt ; puis elle
recommande à Dieu le roi et toute sa suite,
sauf lui, qu'elle laisse en grand désarroi. Et
son désarroi ne fait que croître, tant ce qu'il
voit lui est pénible, tant ce qu'il entend l'importune ; il voudrait avoir fui, tout seul, dans une
terre si sauvage que l'on ne sût où le chercher
et qu'il n'y eût personne au monde pour connaître de ses nouvelles, non plus que s'il fût au
tréfonds de l'enfer. Il ne hait rien tant que lui-
même et ne sait qui pourrait le consoler d'être
l'artisan de sa propre mort. Mais il aimerait
mieux perdre l'esprit que de ne pouvoir se
venger de lui-même, pour s'être ravi le bonheur.
Il quitte la société des barons car il craint, parmi
eux, de perdre la raison ; ignorant tout de
son état, ils le laissent partir seul : ils compren-
nent qu'il n'a souci ni de leurs propos ni de
leur commerce.

Il erre tant que le voilà fort loin des tentes
et des pavillons. Alors il lui monte à la tête
un tel vertige que sa raison le quitte ; il déchire
et lacère ses vêtements, s'enfuit par les champs
et par les labours, laissant désemparés ses
gens qui se demandent où il peut bien être :
ils vont le cherchant, à droite et à gauche, par

les logis des chevaliers, par les haies et par les vergers ; mais ils le cherchent là où il n'est pas. Et le malheureux court à toutes jambes jusqu'à ce qu'il trouve, près d'un enclos, un valet qui tenait un arc et cinq flèches barbelées, très acérées et larges. Yvain s'approche du valet pour lui ravir le petit arc et les flèches qu'il avait à la main. Cependant il n'avait plus souvenir d'aucun de ses actes passés. A l'affût des bêtes dans la forêt, il les tue et se repaît de la venaison toute crue.

Il rôdait dans les bois depuis longtemps, comme une brute privée de raison, quand il trouva la maison d'un ermite, très basse et très petite. L'ermite défrichait. Apercevant cet homme nu, il comprit aussitôt, sans nulle hésitation, que sa raison l'avait abandonné ; c'était un fou, il en fut convaincu ; et tout effrayé, il se réfugia dans sa maisonnette ; mais, par charité, le saint homme prit de son pain et de son eau qu'il lui mit, hors de sa maison, sur le rebord d'une étroite fenêtre ; l'autre s'approche, plein de convoitise, prend le pain et y mord ; jamais, me semble-t-il, il n'en avait goûté d'aussi grossier ni d'aussi âpre ; la mouture dont ce pain avait été fait n'avait pas coûté vingt sous le setier ; mais une faim immodérée et excessive force à manger n'importe quoi : mon seigneur Yvain dévora tout le pain de l'ermite et il le trouva savoureux ; puis il but de l'eau froide au pot.

Dès qu'il a mangé, il se jette à nouveau dans la forêt pour y traquer biches et cerfs ; et le saint homme sous son toit, quand il le voit partir, prie Dieu de le garder du forcené et de ne plus le ramener de ce côté. Mais il n'est personne, ayant tant soit peu de bon sens, qui ne retourne de grand cœur au lieu où on lui fait du bien. Depuis, le dément ne laissa passer huit jours, tant qu'il vécut dans cette frénésie, sans déposer sur le seuil de l'ermite quelque bête sauvage. C'est la vie qu'il mena dès lors : le saint homme s'occupait de l'écorchement et faisait cuire du gibier en suffisance ; et le pain, l'eau et la cruche se trouvaient chaque jour à la fenêtre pour rassasier le forcené ; il avait comme nourriture de la venaison sans sel et sans poivre et de la froide eau de source comme boisson. Et le saint homme se donnait la peine de vendre les cuirs et d'acheter du pain d'orge et de seigle sans levain ; l'affamé eut, dès lors, à pleine ration, du pain en abondance et de la venaison, que l'ermite lui fournissait.

Cela dura jusqu'au jour où, dans la forêt, il fut trouvé endormi par deux demoiselles, suivantes d'une dame qu'elles escortaient. Vers cet homme qu'elles voient nu, l'une des trois se précipite, après avoir mis pied à terre ; mais elle l'examina longuement avant de découvrir quelque signe qui lui révélât son identité ; cependant, pour l'avoir vu si souvent, elle

eût vite fait de le reconnaître, s'il avait été aussi
richement vêtu qu'il l'était de coutume. Elle
tarda fort à l'identifier ; toutefois, elle le contem-
pla si longtemps qu'enfin elle avisa une cicatrice
qu'il avait au visage ; or, elle en était sûre,
mon seigneur Yvain en portait une semblable,
elle l'avait bien souvent remarquée. Devant
ce signe indiscutable elle n'hésite plus : c'est
lui. Mais quelle n'est pas sa stupéfaction !
Comment peut-il se faire qu'elle l'ait trouvé
ainsi, nu et misérable ? Toute interdite, elle
multiplie les signes de croix ; mais se gardant
bien de secouer ni d'éveiller le dormeur, elle
prend son cheval et se remet en selle ; ayant
rejoint les autres, elle fait tout en pleurs le récit
de son aventure. Je ne sais pourquoi je m'attar-
derais à conter l'affliction qu'elle en manifesta,
mais en sanglotant elle dit à sa maîtresse :

« Dame, j'ai découvert Yvain, le chevalier
le mieux éprouvé du monde et le plus émérite ;
mais j'ignore dans quel malheur est tombé
un homme aussi noble ; peut-être est-ce quelque
chagrin qui le fait vivre dans un tel état : on
peut bien devenir fou de douleur et il est clair
qu'il n'a pas toute sa raison ; jamais en vérité
il n'en serait venu à mener une vie si pitoyable
s'il n'avait perdu l'esprit. Ah ! si Dieu pouvait
le lui rendre au mieux que jamais il ne l'eut
et qu'une fois guéri il daignât rester pour vous
secourir ! Car le comte Alier, qui vous fait la

guerre, vous a livré de bien dures attaques.
Je vois déjà cette guerre qui vous oppose s'achever
tout à votre honneur, si Dieu donnait au chevalier
un sort assez heureux pour qu'il recouvrât
la raison et entreprît de vous aider dans cette
adversité. »

La dame lui répond :

« Ne vous inquiétez pas, car à coup sûr,
s'il ne s'enfuit, je crois qu'avec l'aide de Dieu
nous lui ôterons de la tête toute sa frénésie
et son délire. Mais il nous faut faire vite : je
me souviens d'un onguent que me donna la
savante Morgane en m'affirmant qu'il chassait
de la tête la folie la plus opiniâtre. ».

En toute hâte, elles retournent au château,
si proche qu'il était à une demi-lieue, sans un
pas de plus, à la mesure des lieues de ce pays-là,
où deux lieues en font une des nôtres et quatre
deux. Tandis qu'il reste seul et toujours endormi,
la dame va chercher l'onguent. Elle ouvre un
de ses coffrets, en tire la boîte et la confie à la
demoiselle en la priant de ne pas prodiguer son
contenu et de ne frictionner que le front et
les tempes, car point n'est besoin d'en mettre
ailleurs : qu'il lui suffise d'en enduire ces endroits
en gardant avec soin le reste pour sa dame,
car il n'a aucun mal ailleurs, seul le cerveau
est atteint. Elle fait apporter une robe fourrée
de vair, une cotte et un manteau de soie écarlate. Prenant le tout à l'intention du chevalier,

la demoiselle lui conduit, en le menant par la main droite, un excellent palefroi ; et elle joint sa quote-part : chemise et braies de fine toile, chausses noires et délicates.

Ainsi chargée, elle se hâte de partir et retrouve le malade encore endormi à la place même où elle l'avait laissé. Elle met ses chevaux dans un plessis, les attache solidement puis, avec les vêtements et l'onguent, se rend jusqu'au lieu où il dort. Quelle témérité n'est pas la sienne de s'approcher du forcené assez pour le toucher et le palper ! Elle prend l'onguent et l'en oint, tant qu'il en reste une once dans la boîte ; tel est son désir de le voir guéri qu'elle s'applique à l'enduire par tout le corps. Elle y dépense tout l'onguent, peu lui importent les injonctions de sa dame, elles ont bien oubliées. Elle en met plus qu'il ne convient, persuadée qu'elle est d'en faire le meilleur usage : elle lui frotte les tempes, le front et le corps tout entier jusqu'à l'orteil. Si vigoureuse est sa friction, au chaud soleil, sur les tempes et sur tout le corps, qu'elle lui chasse du cerveau sa rage et sa mélancolie. Mais pour le corps, elle agit follement, car il n'avait nul besoin de remède. Eût-elle disposé de cinq setiers d'onguent, elle n'eût pas fait autrement, j'en suis certain. Puis, emportant la boîte, elle se sauve et va se cacher près de ses chevaux ; mais elle n'ôte point les vêtements, car s'il retrouve ses esprits, elle veut qu'il les

voie tout prêts, les prenne et s'en revête. Elle se
poste derrière un grand chêne, attendant qu'il
ait dormi tout son saoûl.

A son réveil, il est guéri et rétabli, il a retrouvé
sa raison et sa mémoire. Mais se découvrant
nu comme un ivoire, il en est tout honteux
et le serait bien plus encore s'il connaissait
son aventure ; mais il ignore pourquoi il se
trouve nu. Devant lui il aperçoit les vêtements
neufs et se demande avec stupeur comment,
par quel miracle, ils sont arrivés là ; bouleversé
et interdit à la vue de sa nudité, il s'estime perdu
si quelqu'un l'a découvert en cet état et reconnu.
Cependant il se vêt et regarde par la forêt s'il
voit venir âme qui vive. Il essaie de se lever,
de se tenir debout, mais n'a pas la force de
faire un pas. Il lui faut du secours, il faut qu'on
l'aide à s'en aller, car sa terrible maladie l'a
si gravement affecté qu'il peut à peine se tenir
sur pieds.

La demoiselle alors ne veut tarder davantage,
elle se met en selle et passe près de lui, feignant
d'ignorer sa présence. Et lui s'époumone à
l'appeler : il aurait eu grand besoin d'un secours,
peu importe lequel, pour gagner un abri, le
temps d'y recouvrer quelques forces. La demoiselle regarde tout à l'entour, comme si elle
ne savait ce qui se passe. Elle fait l'ébahie et
va de-ci, de-là, ne voulant se diriger droit sur
lui. Mais lui de renouveler ses appels :

« Demoiselle, par ici, par ici !

Et la demoiselle guide vers lui son palefroi ambleur. Elle lui fit croire par ce manège qu'elle ne savait rien à son sujet et que jamais elle ne l'avait vu en cet endroit, agissant ainsi avec tact et courtoisie. Une fois devant lui :

« Seigneur chevalier, dit-elle, que voulez-vous donc, pour m'appeler de façon si pressante ?

— Ah ! fait-il, sage demoiselle, je me retrouve dans ce bois, je ne sais par quelle infortune. Par Dieu et par votre foi, je vous prie d'avoir la bonté de me prêter ou m'accorder en don le palefroi que vous menez.

— Avec plaisir, seigneur, mais accompagnez-moi là où je vais.

— De quel côté ? fait-il.

— Hors de ce bois, jusqu'à un château près d'ici.

— Demoiselle, dites-moi donc si vous avez besoin de moi.

— Oui, fait-elle, mais je crois que votre santé n'est pas solide ; pendant une quinzaine à tout le moins, il vous faudrait vous reposer. Prenez donc le cheval que je mène à ma droite, nous irons jusqu'au gîte. »

Et lui, qui ne demandait rien de plus, le prend et l'enfourche. Leur chevauchée les conduit à un pont enjambant une eau rapide et grondante. Et la demoiselle y jette la boîte qu'elle remportait vide ; elle espère ainsi s'excuser devant sa dame d'avoir perdu l'onguent : la malchance

voulut, lui dira-t-elle, qu'au passage du pont la
boîte chût dans l'eau ; sur un faux pas du palefroi,
la boîte lui échappa des mains ; peu s'en fallut
qu'elle-même ne fît le saut, mais alors la perte
eût été bien plus grande ! Elle a bien l'intention
de faire accroire ce mensonge à sa maîtresse
quand elle sera devant elle.

Cependant, faisant route ensemble, ils par-
viennent au château ; la dame fit joyeux accueil
à mon seigneur Yvain, puis réclama sa boîte
et son onguent à sa demoiselle, mais en aparté ;
et celle-ci lui récite la fable qu'elle a imaginée,
dans toute son ampleur, car elle n'ose lui dire
la vérité. La dame s'en montra fort mécontente :
« C'est là, dit-elle, une perte bien fâcheuse,
car j'ai la ferme certitude que jamais ils ne seront
recouvrés. Mais puisque c'est une chose perdue,
il ne reste plus qu'à y renoncer. On croit parfois
souhaiter son bonheur alors qu'on souhaite
son malheur ; c'est ce que j'ai cru à propos
de ce chevalier qui me donnerait, pensais-je,
bonheur et joie, mais en fait j'ai perdu le meilleur,
le plus précieux de mes biens. Et pourtant je
veux vous prier d'être pour lui aux petits soins.

— Ah ! dame, voilà qui est bien parler, car
ce serait un bien trop méchant tour que d'un
seul malheur en entraîner deux. »

Elles cessent alors de parler de la boîte ;
puis elles dispensent à mon seigneur Yvain
tout ce qui est en leur pouvoir, lui font pren-

dre un bain, lui lavent la tête, le rasent de près, car on aurait pu lui prendre la barbe à plein poing sur le visage. Tout ce qu'il désire, on le lui accorde : veut-il des armes, on lui en donne ; veut-il un cheval, on lui met en état un coursier grand, beau, fort et vigoureux.

Il demeura jusqu'au jour — un mardi — où le comte Alier parut devant le château, avec des hommes d'armes et des chevaliers, brûlant et pillant tout sur leur passage ; pendant ce temps, ceux du château s'équipent et enfourchent leurs montures ; puis tous ils font une sortie et rejoignent les pillards qui, à leur vue, ne daignent pas bouger, mais les attendent à un défilé. Mon seigneur Yvain frappe dans le tas : son repos prolongé lui a rendu toute sa force ; il assène un coup si violent à un chevalier, en plein milieu de l'écu, qu'il culbute pêle-mêle, j'en jurerais, cheval et chevalier ensemble ; et jamais plus le pauvre ne se releva : son cœur éclata dans son ventre et son échine se brisa en son milieu. Mon seigneur Yvain prend un peu de champ et revient à la charge ; entièrement couvert de son écu, il pique des deux pour déblayer le passage. On l'aurait vu abattre quatre chevaliers en un rien de temps, plus vite et plus aisément que l'on ne compte un, deux, trois, quatre. Et, à le voir, ceux qui l'accompagnaient se sentaient gagnés d'une audace à toute épreuve ; car tel peut avoir cœur de lâche, mais voyant sous ses yeux un preux abattre toute une besogne, il est assailli aussitôt par la vergogne et par la honte qui chassent hors de lui son cœur pusillanime, pour lui rendre courage et lui donner cœur de preux et bravoure. Ainsi de ceux-là : ils sont devenus preux, chacun tient bien sa place au plus fort de la mêlée.

La dame, montée à sa tour, voit les combats et les assauts pour la défense et la conquête du passage, elle voit, gisant à terre, maints blessés et tués, de ses gens comme de ses ennemis, mais ces derniers en plus grand nombre que les siens. Car mon seigneur Yvain, le courtois, le preux, le vaillant, leur faisait demander merci, comme le faucon aux sarcelles. Ceux et celles qui, restés au château, le regardaient par les créneaux, s'exclamaient d'enthousiasme :

« Ah ! quel vaillant guerrier, comme il fait lâcher pied à ses adversaires ! Avec quelle vigueur il les attaque ! Il se rue parmi eux comme le lion parmi les daims, quand la faim le tenaille et le harcèle. Il rend plus intrépides, plus farouches, tous les autres chevaliers de notre parti qui jamais, sans son exemple, n'auraient brisé de lance ou dégaîné l'épée. Quand on rencontre un preux, c'est de toute son âme qu'on doit l'aimer et l'estimer. Voyez donc comme notre héros se comporte, voyez comme il se conduit dans les rangs ! Voyez-le donc rougir de sang et sa lance et son épée nue ! Voyez comme il les bouscule, voyez comme il les presse, comme il fond sur eux, comme il les déborde, comme il esquive et retourne à l'attaque ! Mais à l'esquive il ne s'attarde guère, c'est au retour qu'il emploie tout son temps ; voyez, quand il se rue dans la mêlée, comme il prise peu son écu, comme il le laisse mettre en pièces ! Il n'en a aucune pitié, mais il brûle de se venger des coups dont on le gratifie. De toute la forêt d'Argonne on aurait pu lui fabriquer des lances, à coup sûr il n'en resterait plus une ce soir, on ne peut tant lui en mettre sur feutre qu'il ne les brise et n'en réclame d'autres. Et voyez comment il travaille de l'épée quand il la tire ! Jamais, avec Durendal, Roland ne fit tel massacre de Turcs, à Roncevaux ni en Espagne. S'il avait pour le seconder quelques compagnons de sa trempe, le félon dont nous nous plaignons se retirerait en déroute ou serait couvert d'opprobre. »

Et ils ajoutent qu'elle serait née sous une bonne étoile, celle à qui il aurait fait don de son amour, lui si fort au métier des armes et reconnaissable entre tous comme un cierge entre des chandelles, comme la lune parmi les étoiles, et comme le soleil au regard de la lune ; il a si bien conquis le cœur et de chacun et de chacune que tous voudraient, à le voir si vaillant, qu'il devînt l'époux de leur dame et gouvernât sa terre.

C'est ainsi que toutes et tous louangeaient le héros et c'était pure vérité, car il malmène si bien ceux d'en face qu'ils déguerpissent à qui mieux mieux ; mais il les harcèle de près, suivi de tous ses compagnons, lesquels, à ses côtés, sont aussi assurés que si les abritait un épais et haut mur de pierre dure. La chasse se prolonge si longtemps que les fuyards s'épuisent et que leurs poursuivants, les taillant en pièces, éventrent leurs chevaux. Les vivants roulent sur les morts, on s'entre-blesse, on s'entre-tue, on s'entrebat férocement.

Pourtant le comte fuit toujours, mais mon seigneur Yvain est loin de l'imiter, sa poursuite n'a rien d'un simulacre : il le talonne tant qu'il l'atteint au pied d'un escarpement, tout juste à l'entrée d'une forteresse que possédait ce dernier ; c'est là que le comte fut capturé, car il n'avait personne pour l'aider et, sans trop longs palabres, mon seigneur Yvain obtint sa soumission : puisqu'il le tient entre ses mains, impossible de s'échapper, d'esquiver ou de se défendre ; le comte lui promit d'aller se rendre à la dame de Noroison ; il se constituerait son prisonnier et conclurait la paix selon ses conditions. Quand le vainqueur eut sa parole, il lui fit enlever son heaume, ôter son écu, et l'autre lui rendit son épée nue.

Il eut donc l'honneur d'emmener le comte captif et de le livrer à ses ennemis qui n'en

montrèrent pas une médiocre joie ; on sort en
foule à leur rencontre, la dame en tête. Mon
seigneur Yvain tient le prisonnier par la main
et le lui remet. Alors le comte s'engage sans
restriction à remplir toutes ses exigences, il
l'en assure sous la garantie du serment ; il se
porte garant et il lui jure que désormais il vivra
en paix avec elle, qu'il la dédommagera de
toutes les pertes dont elle lui apportera les
preuves et rebâtira les maisons qu'il a détruites.

Quand ces dispositions furent fixées au gré
de la dame, mon seigneur Yvain lui demanda
son congé, ce qu'elle eût rejeté s'il avait accepté
de la prendre pour amie ou pour femme ; mais
il interdit même qu'on lui fît escorte, ne fût-ce
que d'un pas ; il partit aussitôt et toute prière
fut inutile. Il reprit donc la route, laissant fort
chagrinée la dame qu'il avait comblée de joie.
Et autant il l'avait rendue heureuse, autant
l'afflige et la consterne son refus de faire plus
long séjour : elle aurait voulu le couvrir d'hon-
neurs et faire de lui, avec son accord, le seigneur
de toutes ses possessions, ou lui eût octroyé,
pour prix de son service, une solde aussi grosse
qu'il pût la souhaiter. Mais sur ce point, il
refusa absolument de prêter l'oreille au moindre
discours. Il se sépare alors des chevaliers et
de la dame, malgré leur immense regret de
ne pouvoir le garder davantage.

*
* *

Mon seigneur Yvain chemine, pensif, à travers une forêt profonde ; soudain il entend, au cœur des fourrés, un grand cri de douleur. Il se dirige alors de ce côté et quand il y parvient, il voit dans un essart, un lion qu'un serpent tenait par la queue en lui brûlant l'échine d'une flamme ardente. Mon seigneur Yvain ne s'attarde guère à contempler ce prodige, mais il délibère en lui-même : auquel des deux va-t-il porter secours ? C'est dit, il se rangera du côté du lion, car aux êtres venimeux et félons on ne doit faire que du mal ; or, le serpent est venimeux, du feu lui jaillit de la gueule tant il est plein de félonie. Aussi mon seigneur Yvain se décide-t-il à le tuer d'abord ; il tire son épée, s'avance et met son écu devant son visage pour éviter la brûlure des flammes que l'animal vomit par une gueule plus large qu'une marmite. Si ensuite le lion l'assaille, la bataille ne lui manquera pas, mais pour l'instant le chevalier, quoi qu'il advienne, veut lui venir en aide, car Pitié lui enjoint et le supplie de porter assistance à cette noble bête.

Avec son épée au tranchant bien affilé, il se lance à l'attaque du félon serpent ; il le tranche jusqu'à frapper le sol, et des moitiés fait des tronçons, frappe et refrappe et lui assène tant de coups qu'il le décharne et le dépèce tout entier. Mais il lui faut trancher un morceau de la queue du lion, où restait accrochée la

tête du félon serpent ; il en tranche autant qu'il
en faut, il ne peut guère moins.

Le lion délivré, il crut qu'il lui faudrait se
mesurer à l'animal et subir ses assauts ; mais
ce dernier était bien loin d'avoir de tels desseins.
Écoutez ce que fit alors le lion, comme il se
conduisit en être noble et généreux, comme
il se mit à exprimer sa soumission : il tendait
vers lui ses deux pattes jointes et inclinait la
tête vers le sol, en se dressant sur celles de derrière ; puis il s'agenouillait et mouillait de
larmes toute sa face par humilité. Pour mon
seigneur Yvain, aucun doute : l'animal marque
sa gratitude et s'humilie devant lui, qui l'a fait
échapper à la mort en tuant le serpent. Cette
aventure le remplit de joie.

Il essuie son épée, souillée par le venin et
l'ordure du monstre, la repousse au fourreau,
puis reprend son chemin. Mais voici que le lion
s'en va côte à côte avec lui : jamais il ne le quit-
tera, et désormais, il l'accompagnera, voulant
le servir et le protéger.

Le lion ouvre la voie quand soudain, tout
en le précédant, il flaire sous le vent quelque
gibier en train de paître ; la faim et l'instinct
le poussent alors à chercher une proie et à chasser
pour se procurer sa pâture ; c'est la loi de Nature ;
il suit quelque temps le fumet, et montre ainsi
à son seigneur qu'il a senti et dépisté l'odeur
d'une bête sauvage. Puis il s'arrête et le regarde,

car il veut le servir au gré de ses désirs ; il ne
veut aller nulle part contre la volonté de son
maître. Celui-ci comprend ce regard : le lion
lui fait signe qu'il l'attend ; aucun doute, s'il
reste sur place, le lion fera de même, et s'il le
suit, l'animal se saisira du gibier qu'il a flairé.
Il l'excite alors par des cris, comme il eût fait
d'un brachet ; et le lion, aussitôt, repart, le
nez au vent ; il ne l'avait nullement abusé,
car à moins d'une portée d'arc, il aperçut dans
un vallon un chevreuil qui paissait solitaire.
Il décida de le prendre et y parvint dès la première
attaque, puis il en but le sang tout chaud. Quand
il l'eut tué, il le jeta sur son dos, l'emporta et
rejoignit son seigneur qui le tint dès lors en
grande amitié, pour la profonde affection qu'il
voyait en lui.

Il faisait presque nuit, aussi décida-t-il de
camper sur place et de dépouiller du chevreuil
autant qu'il en voudrait manger. Il se met donc
à l'écorcher, lui fend le cuir au-dessus des côtes,
et lui taille un filet de la longe ; tirant le feu
d'un caillou bis, il en allume du bois sec ; puis
il embroche son filet, et le fait rôtir bien vite ;
le voilà cuit à point ; mais il prit bien peu de
plaisir à ce repas, car il n'avait ni pain, ni vin,
ni sel, ni nappe, ni couteau ni rien d'autre.
Tout le temps qu'il mangea, le lion resta allongé
devant lui, dans une immobilité absolue, sans
cesser de le regarder, jusqu'à ce qu'il eût mangé

de son gras rôti, au point d'en être rassasié.
Alors le lion dévora le reste du chevreuil, et
même les os. Le chevalier passa toute la nuit
la tête appuyée sur son écu, se reposant du
mieux qu'il put, mais le lion avait tant de bon
sens qu'il veilla, soucieux de garder le cheval
qui broutait l'herbe, sans risque d'engraisser.

*
* *

Au matin, ils s'en allèrent ensemble, et le
soir venu, ils menèrent, ce me semble, la même
vie que la nuit précédente ; cela dura une quinzaine de jours. Le hasard les conduisit à la
fontaine, sous le pin. Hélas, peu s'en fallut
que mon seigneur Yvain ne retombât dans
sa folie, cette fois encore, en s'approchant
de la fontaine, du perron et de la chapelle ;
mille fois, il s'appelle malheureux et misérable
et tombe évanoui tant sa douleur est grande ;
mais son épée, qui joue dans le fourreau, s'en
échappe, la pointe vient se ficher dans les mailles
de son haubert, à hauteur du cou, près de la
joue ; il n'est de maille qui ne s'ouvre, la lame
lui tranche la peau sous le brillant camail,
et le sang dégoutte. A cette vue, le lion croit
mort son compagnon et son seigneur ; jamais
encore il n'avait éprouvé un chagrin plus profond ; il commence à montrer un désespoir
extrême — jamais je n'entendis en conter un

pareil — il se tord les membres, se griffe en
rugissant, et veut mettre fin à sa vie avec l'épée
qui, pense-t-il, a tué son vaillant seigneur.
Avec les dents, il la retire de la blessure, la
place sur un fût tombé, cale son pommeau
contre un arbre, de peur qu'elle ne se dérobe
sous le heurt de son poitrail. Il allait accomplir
son dessein, quand son maître revint à lui ;
le lion s'arrêta net, alors qu'il courait à la mort
avec l'élan brutal du sanglier furieux qui ne
prend garde où il fonce. Voilà donc comment
mon seigneur Yvain défaillit devant le perron.

En reprenant conscience, il se reprocha sans
ménagement d'avoir outrepassé le délai d'une
année, crime qui lui valait la haine de sa dame :
« Pourquoi ne se donne-t-il pas la mort,
l'infortuné qui s'est ravi la joie ? Pourquoi,
malheureux que je suis, hésité-je à me tuer ?
Comment puis-je rester ici, et voir tout ce qui me
rappelle ma dame ? En mon corps pourquoi
reste mon âme ? Que fait une âme en un corps
si dolent ? L'eût-elle quitté, elle ne souffrirait
pas un tel martyre. Me haïr, me blâmer, m'acca-
bler de mépris, voilà, en vérité, ce qui me reste
à faire, et je n'y manque pas. Qui perd sa joie
et son bonheur, par son méfait et par sa faute,
doit se haïr à mort. Qu'il se haïsse et qu'il se
tue. Et moi, tant que nul ne me voit, pourquoi
m'épargnerais-je ? N'ai-je pas vu ce lion mani-
fester pour moi tant de douleur qu'il voulait,

sur le champ, se plonger mon épée en plein poitrail. Et je dois redouter la mort, moi qui ai changé ma joie en deuil ? De moi s'est éloigné la joie. La joie ? Mais de quelle nature ? Plus un mot, nul ne saurait le dire, et ma question se révèle bien vaine. Parmi toutes les joies, c'était la plus joyeuse qui m'était réservée, mais comme elle fut éphémère ! Et qui perd un tel bien par sa faute n'a pas droit au bonheur. »

Tandis qu'il s'abandonnait à son désespoir, une malheureuse captive, emprisonnée dans la chapelle, le regardait, en ne perdant rien de sa plainte, par une crevasse du mur. Enfin, elle l'appelle :

« Dieu, que vois-je là ? Qui donc peut bien se lamenter ainsi ? »

Il lui répond : « Et vous, qui êtes-vous ? »

— Je suis, dit-elle, une captive, l'être le plus misérable qui soit.

— Tais-toi, réplique-t-il, créature insensée ! Un tel deuil n'est que joie, un tel deuil n'est qu'un bien, auprès des maux qui me consument. Plus un homme est accoutumé à vivre dans la joie et les délices, plus le malheur, quand il le frappe, l'égare et lui trouble l'esprit, bien davantage qu'à tout autre ; un homme chétif porte par routine le fardeau qu'un plus robuste ne porterait pour rien au monde.

— Par ma foi, dit-elle, je sais très bien que c'est la pure vérité ; mais cela ne prouve pas

que vous soyez plus malheureux que moi,
et ce qui m'interdit de le croire, c'est que vous
pouvez aller où vous voulez, me semble-t-il,
et moi, je suis emprisonnée ici ; voyez le sort
qui m'est réservé : demain, on viendra me chercher, pour me livrer au dernier supplice.

— Ah ! Dieu, fait-il, pour quel forfait ?

— Seigneur chevalier, Dieu puisse-t-il jamais
n'avoir pitié de l'âme que j'ai en mon corps,
si j'ai tant soit peu mérité ce châtiment ! Mais
écoutez plutôt la vérité, je ne mentirai pas
d'un mot. Ce qui me vaut d'être ici en prison,
c'est que l'on m'accuse de trahison, et je ne
trouve aucun champion pour m'éviter demain
le bûcher ou le gibet.

— Eh bien donc, fait-il, je puis affirmer
que ma douleur et mon chagrin surpassent
vos souffrances, car vous pourriez être sauvée
de ce péril par le premier venu, et rien de tout
cela n'arriverait.

— Oui ! mais je ne sais encore par qui : il
n'est pour l'instant que deux chevaliers qui
oseraient pour me défendre engager le combat
contre trois adversaires.

— Comment ? Par Dieu, sont-ils donc trois ?

— Oui, seigneur, je vous l'assure : trois qui
m'accusent de trahison.

— Et qui sont donc ceux qui vous aiment
tant, et dont chacun serait assez hardi pour
oser affronter trois adversaires afin de vous
sauver et de vous protéger ?

8

— Je vous le dirai sans mentir, l'un est mon seigneur Gauvain et l'autre mon seigneur Yvain, à cause de qui je serai demain livrée injustement au supplice jusqu'à ce que mort s'ensuive.

— A cause de qui, s'écrie-t-il ?

— Seigneur, que Dieu me vienne en aide, à cause du fils du roi Urien.

— Je vous ai trop entendue ! Eh bien, vous ne mourrez pas sans lui. Je suis cet Yvain en personne, le responsable de vos alarmes, et c'est vous, j'en suis sûr, qui m'avez secouru dans la salle ; vous m'y avez sauvé la vie, alors que j'étais pris entre les portes coulissantes, accablé d'inquiétude, angoissé, égaré ; on m'y aurait tué ou capturé, sans votre aide salutaire. Mais dites-moi, ma chère amie, qui sont ceux qui vous accusent de trahison, et vous ont enfermée dans ce cachot ?

— Seigneur, je n'en ferai plus long mystère, puisque vous tenez à l'apprendre. Il est vrai que je n'ai pas hésité à vous venir en aide en toute bonne foi. Grâce à mes exhortations, ma dame vous prit pour époux ; elle eut confiance en mes avis, et par le Saint Pater Noster, c'est plus pour son profit que pour le vôtre que je pensai agir, et je le pense encore : à présent, je puis vous l'avouer, j'ai cherché tout autant, Dieu me sauve, à servir son honneur qu'à satisfaire vos désirs. Mais quand il arriva que vous eûtes passé le délai fixé pour votre retour auprès de ma dame, aussitôt elle s'emporta contre moi, et s'estima bien abusée de m'avoir crue. Et quand l'apprit le sénéchal, un félon, un effroyable traître, qui me portait grande envie, car en maintes occasions ma dame m'accordait plus de crédit qu'à lui, il comprit qu'il pourrait mettre la brouille entre nous. En pleine cour, devant tout le monde, il m'accusa de l'avoir trahie à votre profit, et je ne pus compter que sur moi seule, en soutenant que jamais je n'avais commis ni même imaginé de trahison envers ma dame. Seigneur, par Dieu, sans réfléchir, j'ajoutai aussitôt, dans mon trouble, que je prendrais pour défenseur un chevalier seul contre trois adversaires. Le sénéchal n'eut pas la courtoisie de refuser cette proposition, et je ne pus, quoi qu'il advînt, me dérober ni reculer. Il me prit donc au mot : j'en fus réduite à garantir qu'un chevalier lutterait contre trois, et dans un délai de trente jours. Depuis, je suis allée en maintes cours ; même à celle du roi Arthur, je n'obtins aucune aide, et je n'y rencontrai personne pour me donner de vous des nouvelles qui me convinssent, car nul n'en connaissait.

— Et mon seigneur Gauvain, de grâce, le noble, le bien aimé, où était-il donc ? Jamais son secours ne faillit à une demoiselle sans appui.

— J'eusse été transportée de joie en le trouvant

à la cour, car je n'aurais rien su lui demander
qu'il me refusât. Mais un chevalier a emmené
la reine, à ce qu'on m'a dit, et le roi commit
la folie de la laisser partir à sa suite ; et Keu,
je crois, lui fit escorte jusqu'auprès de son ravisseur ; mon seigneur Gauvain, quant à lui,
a entrepris une bien lourde tâche, en se mettant
à sa recherche. Jamais il ne prendra un instant
de repos avant de l'avoir retrouvée. Voilà toute
mon aventure. Demain je mourrai de mort
honteuse, je serai brûlée sans sursis, victime
de la haine et du mépris dont vous êtes l'objet.

— A Dieu ne plaise, s'écrie-t-il, que l'on vous
fasse aucun mal par ma faute. Vous ne mourrez
pas, je m'en fais fort ! Demain, comptez sur
moi, je serai prêt, autant que je pourrai, à
risquer ma vie pour vous délivrer, ainsi qu'il
est de mon devoir. Mais n'allez pas révéler
qui je suis ! Quoi qu'il advienne du combat,
gardez qu'on ne m'y reconnaisse.

— Seigneur, soyez-en sûr, nulle violence ne
saurait m'arracher votre nom. Je souffrirais
plutôt la mort, puisque tel est votre désir. Mais
je vous supplie de ne pas revenir pour moi.
Je ne veux pas que vous vous engagiez dans
une lutte aussi terrible. Grand merci de m'avoir
promis que vous le feriez sans hésitation, mais
soyez-en pleinement quitte : il vaut mieux que
je meure seule, plutôt que de les voir se réjouir
de votre mort, que la mienne suivrait. Quand

même ils vous auraient tué, je ne leur échapperais pas pour autant. Mieux vaut que vous restiez en vie, à quoi bon mourir tous les deux ?

— Vous venez, ma chère amie, de tenir des propos bien fâcheux, dit mon seigneur Yvain, peut-être ne voulez-vous pas être sauvée, ou encore méprisez-vous le soutien que je vous apporte. Mais je ne chercherai pas plus longtemps à vous convaincre : vous avez tant fait pour moi, en vérité, que mon bras doit vous secourir, chaque fois qu'un danger vous menace. Je conçois vos appréhensions et pourtant, s'il plaît à Dieu en qui je crois, ils y perdront tous trois l'honneur. Mais restons-en là, je m'en vais dans ce bois chercher un gîte n'importe où, car il n'est, que je sache, de logis dans le voisinage.

— Seigneur, fait-elle, Dieu vous donne bon gîte et bonne nuit, et qu'il vous garde, selon mes vœux, de tout désagrément. »

Mon seigneur Yvain la quitte à ces mots, toujours suivi du lion.

Après avoir cheminé quelque temps, ils arrivent en vue d'un château-fort appartenant à un baron. Ceint tout à l'entour de murailles épaisses, puissantes et hautes, ce château ne craignait l'assaut de mangonneau ni de per-

rière, car ses défenses étaient formidables ;
mais hors des murs, le bourg était rasé, il ne
restait chaumière ni maison. Vous apprendrez
pourquoi une autre fois, quand le moment
sera venu.

Par le chemin le plus direct, mon seigneur
Yvain gagne la forteresse ; et six ou sept pages
se précipitent : déjà ils lui ont abaissé le pont-
levis, et se portent à sa rencontre quand, à la
vue du lion qui l'accompagne, la terreur les
saisit ; aussi demandent-ils au chevalier de
laisser, s'il y consent, son lion à la porte, de
peur qu'il ne les blesse ou ne les tue.

« N'y comptez pas, leur répond-il, jamais
je n'entrerai sans lui : ou nous serons hébergés
tous les deux, ou je resterai dehors, car je l'aime
autant que moi-même. D'ailleurs, vous n'avez
rien à craindre, je le surveillerai si bien que vous
serez en sûreté.

— A la bonne heure, s'écrient-ils. »

Sur ce, entrant dans le château, les voyageurs
voient s'avancer vers eux des chevaliers, des
dames et des serviteurs, et d'avenantes demoiselles ; on salue l'arrivant, on l'aide à mettre
pied à terre, on s'emploie à le désarmer.

« Soyez, cher seigneur, le bienvenu parmi
nous, lui disent-ils, et Dieu vous permette de
séjourner jusqu'à ce que vous puissiez repartir
comblé de bonheur et d'honneur. »

Du plus noble au plus humble, ils s'évertuent

à l'accueillir dans l'allégresse, et le mènent
jusqu'au logis en un joyeux cortège.

Mais après cette exaltation, une douleur
qui les accable leur fait à nouveau oublier la
joie ; ils recommencent à pousser des cris,
éclatent en sanglots, et s'égratignent le visage.
Ainsi ne cessent-ils, pendant un long moment,
de faire alterner la joie et les larmes ; s'ils montrent tant de joie, c'est en l'honneur de l'invité,
mais le cœur n'y est pas, car ils sont remplis
d'épouvante à la pensée d'une aventure qui
doit leur arriver le lendemain ; ils en sont tous
absolument certains, elle aura lieu avant midi.
Mon seigneur Yvain était stupéfait de les voir
si souvent changer de contenance, et passer
tour à tour de la douleur à l'allégresse. S'adres-
sant au maître des lieux :

« Par Dieu, fait-il, très cher seigneur, auriez-
vous l'obligeance de me dire pourquoi vous
m'avez tant honoré et tant fêté, pour sangloter
ensuite ?

— Oui, si vous y tenez, mais vous devriez
bien plutôt souhaiter qu'on vous le cache et
qu'on se taise là-dessus. Je ne vous dirai pas
de mon plein gré une chose qui vous afflige,
laissez-nous à notre chagrin, n'allez en rien
le prendre à cœur.

— Il ne saurait être question à aucun prix
que je vous voie dans ce chagrin, sans nullement
le prendre à cœur ; j'ai au contraire grand désir

de connaître sa cause, quelque peine qu'il m'en coûte.

— Eh bien, fait-il, je vais tout vous dire. Un géant m'a durement éprouvé : il voulait obtenir ma fille, qui l'emporte en beauté sur toutes les jeunes filles du monde. Ce cruel géant, que Dieu le confonde, se nomme Harpin de la Montagne ; il ne se passe de journée qu'il ne ravisse de mes biens tout ce qu'il peut atteindre. Nul plus que moi ne doit se lamenter ni mener plus grand deuil ; le désespoir devrait me rendre fou, car j'avais six fils, tous des chevaliers, je n'en connaissais de plus beaux au monde ; tous les six, le géant les a pris ; sous mes yeux, il en a tué deux, et demain, il tuera les quatre autres, si je ne puis trouver quelqu'un qui se mesure à lui pour libérer ces malheureux, ou si je me refuse à lui livrer ma fille ; et quand il l'aura, il l'abandonnera pour leur plaisir aux plus abjects et aux plus ignobles valets qu'il sache en sa demeure, car il ne daignerait désormais l'épouser. C'est demain que je puis m'attendre à cette épreuve, si le Seigneur Dieu ne m'accorde son aide. Est-il donc étonnant, très cher seigneur, que nous soyons en larmes ? Mais en votre honneur, autant que nous le pouvons, nous tâchons pour l'instant de faire bon visage, car bien sot est celui qui attire auprès de lui un homme de bien, sans toutefois lui faire honneur ; or, à mes yeux, vous en

avez l'aspect ; voilà donc, seigneur, toutes nos
calamités. En fait de château et de forteresse,
le géant ne nous a laissé que cette unique possession. Vous l'avez bien vu par vous-même,
si ce soir vous y avez pris garde : rien ne subsiste
qui vaille une planche, hors de ces murs qui
sont intacts, mais il a nivelé le bourg entier ;
après y avoir pris tout le butin qu'il convoitait,
il a mis le feu au reste ; ainsi m'a-t-il joué maints
cruels tours. »

Mon seigneur Yvain écouta sans perdre un
seul mot le récit de son hôte. Puis, prenant
à son tour la parole, il dit ce qu'il lui en semblait :

« Seigneur, vos malheurs m'ont ému et affligé
au plus profond de l'âme, mais une chose me
surprend : pourquoi ne pas avoir demandé
assistance à la cour du grand roi Arthur ? Nul
n'est doué d'un courage assez grand pour ne
pas trouver à la cour de chevaliers brûlant
de mesurer leur bravoure à la sienne. »

Alors le noble seigneur lui dévoile qu'il
aurait eu un secours efficace, s'il avait su où
trouver mon seigneur Gauvain :

« Il n'aurait pas dédaigné ma demande, puisque mon épouse est sa sœur germaine ; mais
un chevalier de terre étrangère a emmené la
reine qu'il est venu réclamer à la cour. Pourtant
cette entreprise eût échoué, malgré toutes les
tentatives, si Keu n'avait par la ruse obtenu
du roi qu'il lui confiât la reine et la mît sous

sa garde. Le roi fut bien irréfléchi et la reine
bien folle de s'en remettre à son escorte ; toutefois le plus grave préjudice et la plus grave
perte sont pour moi, car mon seigneur Gauvain,
le preux, n'aurait pas manqué d'accourir pour
protéger sa nièce et ses neveux, s'il eût appris
ce qui est arrivé ; mais il ignore tout, et j'en
éprouve un tel chagrin que mon cœur est prêt
d'éclater ; il s'est mis à la poursuite du ravisseur,
que Dieu notre Seigneur accable de tourments
pour avoir enlevé la reine. »

En l'écoutant, mon seigneur Yvain, bouleversé de pitié, pousse à tout instant de profonds
soupirs ;

« Très cher seigneur, lui répond-il, je m'expo-
serais volontiers au péril de cette aventure,
si le géant se présentait avec vos fils, assez
matin pour m'éviter de m'attarder, car je serai
ailleurs qu'ici, demain à l'heure de midi, comme
je l'ai promis.

— Cher seigneur, s'écrie son brave hôte,
je vous rends, pour cette intention, cent mille
grâces d'affilée. »

Et tous les gens du château de reprendre
en chœur.

Alors parut la jeune fille : gracieux était
son corps, et son visage beau et plein de charme ;
elle s'avança, humble et silencieuse, sous l'effet
d'un chagrin qui jamais ne cessait, la tête inclinée
vers le sol ; sa mère était à ses côtés, car le

seigneur, qui les avait mandées, voulait leur
présenter leur hôte : elles venaient, enveloppées
de leurs manteaux pour dérober leurs larmes
aux regards ; mais il les invite à ouvrir leurs
mantes et à lever la tête :

« Mon ordre, leur dit-il, ne doit en rien vous
affliger, car dans sa providence, Dieu nous
a donné un noble défenseur à l'âme généreuse,
résolu, comme il nous l'assure, à se mesurer
au géant. Ne tardez donc pas davantage, allez
vous jeter à ses pieds.

— Dieu puisse-t-il ne pas m'offrir un tel
spectacle, s'exclame aussitôt mon seigneur Yvain,
il serait vraiment malséant que vînt se jeter
à mes pieds, pour quelque raison que ce fût,
la sœur ou la nièce de mon seigneur Gauvain ;
que l'orgueil, Dieu m'en garde, ne m'envahisse
au point que j'accepte un tel geste. Sinon je
n'oublierais jamais la honte que j'éprouverais.
Mais je leur saurais gré de reprendre courage
jusqu'à demain, afin de voir si Dieu voudra
les secourir. Il est vain de me prier davantage,
à condition que le géant vienne assez tôt pour
ne pas m'obliger à violer un autre engagement,
car je ne laisserais pour rien au monde d'être
présent demain, sur le coup de midi, à la plus
importante affaire, en vérité, que je puisse avoir. »

Ainsi ne veut-il pas leur donner d'assurances
formelles, craignant que le géant ne paraisse
trop tard pour lui permettre d'arriver à temps

auprès de la captive emprisonnée dans la chapelle.
Pourtant, cette seule promesse suffit à les combler
d'espoir ; toutes et tous lui rendent grâces,
si pleine est leur confiance en l'espérance qu'il
leur donne : ils en sont certains, c'est un modèle
de chevalerie, ainsi qu'en fait foi la compagnie
du lion, qui reste couché à ses pieds, aussi
paisible qu'un agneau. Cet espoir qu'ils fondent
sur lui les réconforte et leur rend l'allégresse,
et dès lors disparaît toute démonstration de
deuil.

Quand il en fut temps, on emmena le chevalier
jusqu'à son lit, dans une chambre claire ; la
demoiselle et sa mère assistèrent toutes les
deux à son coucher, car elles lui portaient
déjà une vive affection, qui eût été cent mille
fois plus grande, si elles avaient pu connaître
toute l'étendue de sa courtoisie et de ses mérites.
Lui et son lion furent les seuls à reposer dans
cette chambre, personne d'autre n'osant y coucher ; mieux encore, on leur vérouilla si bien
la porte qu'ils ne purent sortir avant le lendemain,
au lever du jour.

Lorsque la chambre fut ouverte, il se leva
et entendit la messe, puis patienta jusqu'à
l'heure de prime, en vertu de la promesse qu'il
leur avait faite. Il s'adresse alors, devant toute
l'assistance, au maître des lieux en personne :

« Seigneur, je ne puis tarder davantage, il
me faut partir, ne m'en tenez pas rigueur, car

je n'ai le loisir de rester plus longtemps. Mais soyez pleinement convaincu que volontiers et de grand cœur, si je n'étais contraint par une obligation aussi impérative, et si l'affaire qui m'appelle n'était aussi lointaine, je resterais encore un peu, pour les neveux et pour la nièce de mon seigneur Gauvain, qui a toute mon amitié. »

Saisis de peur, la demoiselle, la dame et le seigneur sentent leur cœur frémir dans leur poitrine ; si grand est leur effroi de le voir s'en aller qu'ils veulent tomber à ses pieds de toute leur hauteur ; mais il s'y refuse, car ce geste ne saurait lui complaire. Alors le seigneur lui propose de ses biens, s'il veut en disposer, en terres ou en autre avoir, pourvu qu'il attende encore un moment. Mais il répond :

« Dieu me garde d'en accepter quoi que ce soit. »

La jeune fille, épouvantée, se met à verser des torrents de larmes, et le supplie de demeurer. Torturée de détresse et d'angoisse, elle l'adjure, par la glorieuse reine du ciel et des anges et par Dieu, de ne point les quitter, et de différer encore un instant ; elle l'implore aussi de par son oncle qu'il connaît, a-t-il dit, et qu'il estime tant. Une immense pitié étreint le chevalier, lorsqu'il entend la malheureuse invoquer son ami le plus cher, et la reine des cieux, et Celui qui porte en son sein les douceurs de la miséricorde.

Le désarroi lui arrache un soupir ; pour tout le royaume de Tarse, il ne voudrait que fût brûlée celle qu'il avait promis de défendre ; il aurait tôt fait d'abréger ses jours ou sombrerait dans la folie, s'il ne pouvait à temps parvenir auprès d'elle. D'autre part, il est au supplice en songeant à l'insigne noblesse de mon seigneur Gauvain son ami : et peut s'en faut qu'il n'ait le cœur brisé de ne pouvoir demeurer davantage.

Pourtant, il ne part pas encore, mais s'attarde si longuement que le géant arrive à vive allure, amenant avec lui les chevaliers ; il tenait, suspendu au cou, un pieu énorme, carré, au bout pointu, dont il les piquait sans répit ; quant à eux, ils portaient des vêtements qui valaient à peine un fêtu, n'ayant rien que des chemises sales et souillées ; pieds et poings étroitement ligotés, ils montaient quatre rosses claudicantes, efflanquées, chétives et ensellées. La troupe chevauchait le long d'un bois ; un nain haineux comme un crapaud bouffi avait noué les roncins queue à queue, et allait côtoyant les quatre jeunes gens sans cesser de les cingler d'une escourgée à six nœuds, c'était pour lui une prouesse ; il les battait si rudement qu'ils étaient tout en sang ; voilà de quelle ignoble façon le géant et le nain amenaient leurs victimes.

Devant la porte, au milieu d'un espace découvert, le géant s'arrête et crie au noble seigneur qu'il provoque ses fils en un duel à mort, s'il ne lui accorde sa fille ; il la livrera aux ardeurs de sa valetaille, car il ne l'aime ni ne l'estime assez pour daigner s'avilir à son contact ; un millier de valets lui tiendront assidûment compagnie, pouilleux et loqueteux comme ribauds et torche-pots, et tous lui paieront leur écot.

Le malheureux père est près de devenir fou en entendant le scélérat clamer qu'il lui prostituera sa fille, ou que sur-le-champ, comme il va le voir, ses quatre fils seront tués ; sa détresse est si grande qu'il aimerait mieux mourir que vivre. Maintes fois il s'appelle misérable, infortuné, et laisse un libre cours aux pleurs et aux soupirs ; mon seigneur Yvain lui adresse alors ces propos, bien dignes d'un cœur noble et généreux :

« Seigneur, c'est un monstre de cruauté et d'arrogance, ce géant qui fanfaronne sous vos murs ; mais Dieu puisse-t-il ne jamais permettre que votre fille soit à sa merci ; comme il la méprise, comme il l'outrage ! Ce serait un affreux malheur qu'une aussi belle créature, née d'aussi haut parage, fût abandonnée à des valets. Allons, mes armes, mon cheval ! Faites abaisser le pont, et laissez-moi sortir. Il faudra que l'un de nous deux soit terrassé, lui ou moi, je ne sais lequel. Si je pouvais humilier le félon, le cruel qui vous poursuit de ses persécutions, au point de le contraindre à libérer vos fils, et à venir réparer ici-même les injures qu'il vous a lancées, alors je vous dirais adieu, et j'irais à mon affaire. »

On lui sort son cheval, on lui apporte son harnois complet, on s'empresse de le servir au mieux, et en un clin d'œil, le voilà tout prêt ; à l'équiper, on n'a pas lanterné, sinon le moins possible. Quand le chevalier a toutes ses armes, il ne reste plus qu'à baisser le pont, pour le laisser partir ; on le lui baisse, mais pour rien au monde, le lion n'aurait renoncé à le suivre. Et ceux qui sont demeurés dans l'enceinte le recommandent au Sauveur, car ils tremblent pour lui d'une peur sans seconde, à la pensée que le démon, le diable qui avait massacré tant de preux sous leurs yeux, au même endroit, ne lui réserve pareil sort. Aussi supplient-ils Dieu qu'il le préserve de la mort, qu'il le leur rende sain et sauf, et lui donne de tuer le géant. Chacun, selon ses vœux, prie Dieu avec ferveur. Le géant, plein d'une farouche audace, se dirige vers lui, la menace à la bouche :

« Celui qui t'envoya ici ne t'aimait guère, par mes yeux ! Certes, il n'aurait pu mieux s'y prendre pour se venger de toi. Comme il a bien tiré vengeance de tout le mal que tu lui as causé !

— Trèves de bavardage, répond le chevalier qui ne le craint en rien. Fais de ton mieux et moi de même : tes vains discours me lassent. »

Aussitôt, tout impatient de s'en aller, mon
seigneur Yvain fond sur son ennemi ; il le
frappe en pleine poitrine, sur la peau d'ours
qui lui servait d'armure ; et le géant, de son
côté, se rue sur lui avec son pieu. Mon seigneur
Yvain lui donne un tel coup, en plein milieu
de la poitrine qu'il lui transperce la peau d'ours :
dans le sang du géant comme dans de la sauce,
il baigne le fer de sa lance, mais le monstre
le frappe de son pieu avec tant de violence qu'il
le fait ployer sous le choc. Mon seigneur Yvain
tire son épée, dont il sait donner de si rudes
coups. Il trouve devant lui le géant sans armure,
car celui-ci, trop confiant en sa force, dédai-
gnait de se protéger ; le chevalier, l'épée brandie,
part à la charge ; du tranchant et non du plat
de l'arme, il l'atteint à la joue et y taille toute
une carbonade ; l'autre riposte avec vigueur :
le chevalier bascule jusque sur l'encolure de
son destrier. A ce coup, le lion se hérisse, et
s'apprête à aider son maître ; il bondit de fureur,
s'agrippe au géant de toutes ses forces et déchire
comme une écorce le cuir velu ; au-dessous,
il lui arrache un grand morceau de hanche,
et lui tranche les nerfs et le gras de la cuisse ;
le géant parvient à se dégager, tout en beuglant
comme un taureau, car le lion l'a mis en bien
triste état ; il lève son pieu à deux mains, pense
frapper l'animal, mais le manque, car le lion
fait un bond de côté. Le coup se perd et s'abat

dans le vide, près de mon seigneur Yvain, qu'il n'atteint pas plus que son compagnon. Mon seigneur Yvain brandit son épée et, par deux fois, entrelarde le monstre. Avant que celui-ci n'ait pu se reconnaître, il frappe de taille, et détache l'épaule du buste, il frappe d'estoc et, sous la mamelle, lui enfonce jusqu'à la garde sa lame au travers du foie ; le géant s'écroule, la mort le presse ; un chêne immense, en s'abattant, n'eût fait, je crois, plus terrible fracas que le colosse dans sa chute. Quel coup ! tous ceux qui étaient aux créneaux brûlent d'en voir les effets. C'est là qu'on distingua le plus rapide, car tous courent à la curée, tels des chiens qui ont pris la bête, après l'avoir longtemps chassée. Ainsi couraient-ils sans se ménager, se ruant à l'envi, toutes et tous, vers l'endroit où gisait le géant, face en l'air. Le seigneur en personne y court, avec tous les gens de sa cour ; y court la fille, y court la mère ; la joie gagne les quatre frères, qui avaient souffert bien des maux ; pour mon seigneur Yvain, on est certain de ne pouvoir le retenir, quoi qu'il advienne, mais on le conjure de revenir pour se divertir et se reposer, dès qu'il en aura terminé avec l'affaire qui l'appelle. Il n'ose, répond-il, les assurer qu'il le fera, ne pouvant prévoir l'issue de son entreprise ; mais il désire, dit-il au seigneur, que sa fille et ses quatre fils prennent le nain et se rendent auprès de mon seigneur Gauvain, quand ils sauront ce qu'il est devenu, pour lui exposer comment il s'est comporté devant le géant, car il méprise sa vaillance, celui qui veut qu'elle reste inconnue. Et eux d'affirmer :

« Jamais ne sera tu cet acte de bravoure, ce serait trop injuste. Nous nous conformerons en tout point à vos ordres, mais permettez, seigneur, cette seule question : quand nous serons en sa présence, de qui donc nous louer si nous ne savons votre nom ?

— Il vous suffira, répond-il, de lui déclarer, en vous présentant devant lui : le Chevalier au lion, voilà son nom, tel qu'il nous l'a dit ; je vous prierai aussi d'ajouter de ma part qu'il me connaît parfaitement comme je le connais moi-même, quoiqu'il ignore tout de moi ; je n'ai rien de plus à vous dire ; à présent, il me faut partir d'ici, ma plus grande hantise est d'avoir trop tardé, car avant que midi soit passé, j'aurai ailleurs beaucoup à faire, si j'y puis arriver à temps. »

Sur ce, il s'en va sans plus demeurer, mais auparavant le seigneur l'avait instamment prié, avec la plus grande affabilité, d'emmener ses quatre fils : aucun d'entre eux n'eût hésité à le servir de tout son zèle, s'il en eût exprimé le désir, mais il refusa net la moindre compagnie, et c'est donc seul qu'il les quitta.

*
* *

A peine en route, aussi vite que son cheval peut le porter, il retourne vers la chapelle ; la voie était belle et droite à souhait, il la suivit sans peine ; mais avant qu'il ait pu atteindre la chapelle, on en avait tiré la demoiselle ; déjà était dressé le bûcher sur lequel on devait la placer, sans autre vêtement que sa chemise. Devant le feu la tenaient ligotée ceux qui, à tort, lui imputaient des projets qu'elle n'avait jamais eus ; mon seigneur Yvain, qui arrivait près du brasier où l'on voulait la jeter, dut en concevoir une grande inquiétude ; qui en aurait le moindre doute ne serait ni courtois ni sage. Il est vrai que son angoisse était extrême, mais il conserve l'absolue certitude que Dieu et le droit l'aideront, en se rangeant de son côté : il se fie entièrement en ses alliés et son lion, pour sa part, est loin de le haïr. Vers la foule, à bride abattue, il se précipite en criant :

« Laissez, laissez la demoiselle, misérable engeance ! Il n'est pas juste qu'on la jette sur un bûcher ou dans une fournaise, elle ne l'a pas mérité ! »

Les autres aussitôt, qui çà, qui là, s'écartent et lui font passage ; il lui tarde fort de voir de ses yeux celle que voit son cœur, où qu'elle puisse jamais se trouver ; à force de la chercher du regard, il l'aperçoit et met son cœur à rude épreuve, car il lui tient la bride haute, comme le cavalier qui maîtrise à grand peine, en tirant sur les rênes, son fougueux destrier. Et cependant, en soupirant, il la contemple avec un infini plaisir, mais interdit à ses soupirs de s'exhaler trop librement de peur qu'on les remarque ; tout au contraire, il les étouffe au prix d'efforts désespérés. Et une immense pitié le saisit lorsqu'il entend et voit les dames miséreuses mener un deuil à nul autre pareil :

« Ah ! Dieu, se plaignent-elles, comme tu nous as oubliées, nous allons à présent rester désemparées, si nous perdons une amie si parfaite, le meilleur appui, le meilleur soutien que nous eussions à la cour. Grâce à elle, ma dame nous vêtait de ses robes de vair ; quel changement dans notre condition, car à l'avenir, nul ne parlera en notre faveur. Maudit de Dieu celui qui nous l'enlève, maudit celui qui nous la fera perdre, car bien lourd sera notre préjudice ; il n'y aura désormais plus personne pour dire :

« Ce manteau, ce surcot, cette cotte, chère dame, donnez-les donc à cette noble femme ; n'en doutez pas, si vous lui en faites l'envoi, ils seront fort bien employés : elle en a tant besoin. »

Jamais plus on n'entendra ces propos, car plus personne n'est généreux ni courtois ; chacun, bien loin de là, quémande pour lui-même plutôt que pour autrui, alors que rien ne l'y contraint. »

Lunete et son rôle social

Telles étaient leurs lamentations ; mon seigneur Yvain, parmi elles, ne perdait pas un seul mot de leurs plaintes, qui n'étaient ni affectées ni feintes ; il vit Lunete agenouillée, dépouillée de tout vêtement, hors sa chemise ; elle avait déjà fait sa confession, demandé à Dieu le pardon de ses péchés, et battu sa coulpe ; alors le chevalier, qui lui portait tant d'affection, vient jusqu'à elle et la relève :

« Ma demoiselle, lui dit-il, où sont les détracteurs qui vous accusent ? A l'instant même, s'ils ne le refusent, il leur sera livré bataille. »

La jeune fille, qui ne l'avait pas encore aperçu, lui répondit :

« Seigneur, au nom de Dieu, puissiez-vous me sauver de ce péril ! Les auteurs de ces faux témoignages sont tout près de s'en prendre à moi. Et si vous aviez tardé davantage, je n'aurais plus été bientôt que charbon et que cendre. Vous êtes venu pour me défendre, que Dieu vous en donne la force, aussi vrai que je suis en tout point innocente de ce forfait qu'on m'attribue.

Ces propos n'avaient pas échappé au sénéchal ni à ses frères :

« Ah ! s'écrient-ils, femme, être si avare de vérité, et si prodigue de mensonge ! Bien peu sage est celui qui, sur la foi de tes paroles, se charge d'un si lourd fardeau ; bien malchanceux le chevalier qui est venu mourir pour toi,

car il est seul et nous, nous sommes trois ;
mais s'il m'en croit, qu'il déguerpisse, avant
qu'il ne lui arrive malheur. »

Et lui, fort agacé de ces bravades, réplique
aussitôt :

« Qui a peur n'a qu'à fuir ! Je ne crains pas
assez vos trois écus pour m'en retourner vaincu,
sans coup férir. Vraiment, je serais bien complai-
sant si, en pleine force, en pleine santé, je vous
abandonnais la place ! Jamais, tant que je serai
vivant et valide, je ne m'enfuirai pour de telles
menaces. Je t'invite plutôt à libérer la demoiselle
que tu as calomniée à grand tort. Elle l'affirme,
et je la crois, j'en ai la garantie de son serment :
elle m'a juré, par le salut de son âme, que jamais
elle ne commit, ne dit, n'imagina de trahison
envers sa dame. Je suis convaincu de sa sincérité.
Je la défendrai, si j'en suis capable, car je trouve
mon avantage dans son aide. Et à dire la vérité,
Dieu se tient du côté du droit, et Dieu et le
droit ne font qu'un ; donc, puisqu'ils prennent
mon parti, j'ai bien meilleure compagnie que
toi, et meilleure assistance. »

Mais l'autre répond comme un insensé qu'il
peut employer, pour leur nuire, tous moyens
à sa convenance, pourvu que le lion ne leur
fasse aucun mal. Le chevalier déclare qu'il
n'a nullement amené son lion en tant que champion, et qu'il ne cherche à engager dans le
combat personne d'autre que lui-même ; pour-

tant, si son lion les attaque, qu'ils se défendent
contre lui du mieux qu'ils peuvent, car il ne
leur garantit rien à son sujet. Et eux de riposter :
« Quoi que tu dises, si tu ne fais la leçon à
ton lion, et si tu n'obtiens pas qu'il se tienne
tranquille, inutile de rester ici plus longtemps ;
mais va-t-en plutôt, tu feras mieux, car on sait,
par le pays, comment elle a trahi sa dame ;
il est donc juste que dans le feu et dans les flammes
elle en reçoive le salaire.

— Ne plaise au Saint Esprit, fait le chevalier
qui n'ignore rien de la vérité, et puisse Dieu
ne m'accorder de repartir d'ici, avant de l'avoir
délivrée. »

Sur ce, il enjoint au lion de se reculer, et
de rester paisiblement couché ; l'animal obéit.

Une fois le lion éloigné, le dialogue se termine
aussitôt et ils prennent du champ ; les trois
complices de concert foncent sur lui à plein
galop, mais c'est au pas qu'il vient à leur rencontre : il ne veut s'épuiser en chargeant dès
l'abord. Il leur laisse briser leur lance, tout
en gardant la sienne intacte ; sur son écu, dont
il leur fait une quintaine, chacun d'eux fracasse
sa lance. Puis il pique des deux, jusqu'à s'éloigner
d'un arpent, mais bien vite il revient à l'ouvrage,
n'ayant cure de trop s'attarder. Il atteint à son
retour le sénéchal avant ses frères, et lui brise
sa lance sur le corps, d'un coup si magistral
qu'il l'expédie à terre, malgré qu'il en ait ;

l'autre reste étendu un bon moment, débarrassé
de tout souci. Ses deux frères courent sus à
l'adversaire, en brandissant leurs épées nues,
et lui assènent de grands coups, mais il leur
en sert de plus grands encore, car un seul de
ses coups vaut deux des leurs, exactement.
Sa défense est si efficace qu'il ne leur concède
rien, jusqu'au moment où le sénéchal se relève
et le harcèle de toutes ses forces ; les autres
se joignent à lui, et leur assaut est si fougueux
que leur adversaire, accablé, est près de suc-
comber. Le lion, à ce spectacle, n'hésite plus
à lui porter secours, car son maître en a grand
besoin, lui semble-t-il, et d'une même voix,
toutes les dames, qui aimaient tant la demoiselle,
ne cessent d'invoquer le Seigneur Dieu et le
supplient de tout leur cœur de ne permettre
à aucun prix la mort ou la défaite du champion
qui s'est pour elle exposé au danger. C'est de
prières que l'aident les dames, car elles n'ont
d'autres bâtons ! Le lion vient à son aide ;
dès la première attaque, il porte au sénéchal
désarçonné un coup d'une telle vigueur qu'il
fait voler comme fêtus de paille les mailles
du haubert ; le misérable, irrésistiblement plaqué
au sol, en a le ligament de l'épaule arraché,
ainsi que le côté. Tout ce que rencontre ses
griffes, l'animal le ravit au traître, lui mettant
les entrailles à nu. Ce coup revient cher aux
deux autres. Voilà les jouteurs d'égal à égal

sur le champ de bataille ; le sénéchal ne peut
échapper à la mort : il se tord et se roule dans
le flot vermeil de son sang qui lui jaillit du corps.
Le lion s'en prend aux survivants, car mon
seigneur Yvain reste impuissant à l'écarter,
malgré coups et menaces ; pourtant, il ne s'en
fait pas faute, mais le lion est certain que son
seigneur ne méprise pas son secours : bien
au contraire, il l'en aime davantage ; il se rue
donc farouchement sur eux ; fort irrités par
ses assauts, les deux frères le blessent et le
malmènent à leur tour. Quand mon seigneur
Yvain voit son lion blessé, il en a le cœur empli
de chagrin, et à juste raison, mais il déploie
tous ses efforts pour le venger ; il fond sur les
ribauds avec tant de furie qu'ils ne peuvent
lui opposer aucune résistance et se rendent
à sa merci, grâce à l'aide du lion, qui s'abandonne
au désespoir ; son angoisse était bien justifiée,
car il portait deux blessures. Quant à mon
seigneur Yvain, loin d'être indemne, il avait
le corps couvert de plaies, mais il s'en tourmente
bien moins que de voir souffrir son lion.

Il a donc, comme il le voulait, délivré la
demoiselle à qui la dame pardonne sans réticence,
en renonçant à sa colère. Ses détracteurs furent
brûlés sur le bûcher qu'on avait allumé pour
elle : c'est un principe de justice que celui qui
condamne autrui à tort doit périr de la mort
qu'il réservait à sa victime. Lunete est tout

en joie d'être réconciliée avec sa dame, elles
en montrent une telle allégresse que jamais
nul ne fut aussi radieux ; et tous à leur seigneur
offrirent leur service, ainsi qu'ils le devaient,
mais sans le reconnaître : même la dame qui
avait son cœur et pourtant l'ignorait, le pria
chaleureusement de bien vouloir rester jusqu'à
sa guérison et celle de son lion. Mais il répond :

« Dame, je ne pourrai rester ici tant que ma
dame ne m'aura pardonné la rancune qu'elle
éprouve contre moi. Alors seulement cesseront
toutes mes épreuves.

— J'en suis vraiment désolée, et je n'estime
guère courtoise la dame qui vous tient rigueur.
Elle ne devrait pas interdire sa porte à un chevalier
de votre valeur, à moins qu'il ne se soit trop
mal conduit envers elle.

— Dame, fait-il, quoi qu'il m'en coûte, tout
ce qui plaît à son cœur plaît au mien. Ne m'inter-
rogez pas : sous aucun prétexte, je ne parlerais
de mes torts, sinon à ceux qui les connaissent.

— Quelqu'un le sait-il donc, en dehors de
vous deux ?

— Oui, ma dame, je vous l'assure.

— Mais votre nom, s'il vous plaît, cher seigneur, dites-le-nous, et vous partirez quitte.

— Quitte, ma dame ? Oh non ! Je dois bien
plus que je ne saurais rendre ; pourtant je puis
au moins vous révéler comment je me fais
appeler : vous n'entendrez parler de moi que

sous le nom de Chevalier au lion ; c'est ainsi que je veux qu'on m'appelle.

— Par Dieu, cher seigneur, comment expliquer que nous ne vous ayons jamais vu et que votre nom nous soit inconnu ?

— Dame, cela vous prouve que je n'ai guère de renom. »

Alors la dame revient à la charge :

« Encore une fois, si je ne craignais de vous importuner, je vous prierais de demeurer.

— Dame, je ne puis accepter, avant d'être certain de rentrer en grâce auprès de ma dame.

— Eh bien donc, cher seigneur, que Dieu vous garde, et qu'il transforme en joie, si tel est son vouloir, les souffrances qui vous accablent !

— Dame, fait-il, Dieu vous entende. »

Puis il ajoute à voix basse :

« Dame, vous emportez la clef, vous avez la serrure et l'écrin où ma joie est enclose, et vous n'en savez rien. »

Alors il s'en va, éperdu de détresse, sans que nul ne le reconnaisse, hormis Lunete, qui l'escorte longuement. Lunete seule l'accompagne, et il la prie, chemin faisant, de ne point divulguer l'identité de son champion.

« Seigneur, répond-elle, il n'en sera rien. »

Suit cette seconde prière : qu'elle garde son souvenir et plaide sa cause auprès de sa dame, si elle en trouve l'occasion. Qu'il n'en dise

pas plus : loin d'elle d'oublier ses injonctions
et de les négliger par insouciance. Le chevalier
l'en remercie cent fois d'affilée. Puis il s'éloigne,
rempli d'inquiétude et d'angoisse pour son
lion qu'il lui faut porter, car l'animal ne peut
le suivre. Dans son écu, il lui installe une litière
de mousse et de fougère ; lorsque la couche est
prête, il l'y allonge avec une infinie douceur,
et le porte tout étendu, dans son écu retourné.

Tout en le transportant, il arriva devant
la porte d'un magnifique château-fort ; la trouvant fermée, il appelle, et le portier l'ouvre
si vite qu'il n'a nul besoin de réitérer. L'autre
saisit son cheval par la bride et lui dit :

« Cher seigneur, recevez en présent le logis
de mon maître, s'il vous plaît d'y descendre.

— Ce présent, répond-il, je l'agrée volontiers,
car j'en ai le plus grand besoin, il est temps
que je trouve un gîte. »

Alors, passant la porte, il voit la mesnie
rassemblée se porter tout entière à sa rencontre ; ils le saluent et l'aident à descendre ; les
uns placent sur un perron son écu où repose
le lion, les autres prennent son cheval et le
mettent à l'écurie ; les écuyers, faisant leur
office, le débarrassent de son harnois. Le seigneur
apprend la nouvelle : sans perdre un instant,
il vient dans la cour, et salue son invité ; la
dame le suit, avec tous ses fils et toutes ses filles ;
bien d'autres curieux accourent en foule, on

lui réserve un accueil chaleureux. Le voyant
en piteux état, ils l'installent dans une chambre
calme, et redoublent de bienveillance en y
logeant son lion avec lui ; puis deux jeunes
filles, expertes en remèdes, entreprennent de
le guérir, c'étaient les filles du seigneur.

Le chevalier séjourna là je ne sais combien
de temps, jusqu'au jour où son lion et lui furent
guéris, et s'apprêtèrent à partir.

Mais entre-temps, il arriva qu'avec la mort
dut s'expliquer le seigneur de la Noire-Épine.
La mort lui livra un si rude assaut qu'il lui
fallut mourir. Quand il eut trépassé, il advint
que l'aînée de ses deux filles prétendit s'arroger
tout le fief, et ce, durant sa vie entière : jamais
sa sœur n'y aurait part. Mais la cadette déclara
qu'elle irait à la cour du roi Arthur demander
du secours pour défendre sa terre. Quand
l'autre s'aperçut que sa sœur ne lui laisserait
à aucun prix l'héritage entier sans contestation,
elle en conçut de vives inquiétudes et affirma
qu'elle ferait son possible pour le devancer
à la cour. Elle s'apprête sur le champ et part
sans plus tarder ; brûlant les étapes, elle arrive
à la cour. La cadette la suit, du plus vite qu'elle
peut, mais dépense ses pas en pure perte :
l'aînée avait déjà conclu son pacte avec mon

seigneur Gauvain, qui avait pleinement satis-
fait sa demande, mais à la condition suivante :
si elle en faisait la moindre confidence, il refuserait désormais de prendre les armes pour
elle. Ce qui fut accepté.

C'est alors qu'à la cour arriva l'autre sœur,
vêtue d'un court manteau d'écarlate fourré
d'hermine ; il y avait trois jours que la reine
était revenue de la captivité où l'avait retenue
Méléagant, accompagnée de tous les autres
prisonniers ; seul Lancelot, traîtreusement sur-
pris, était demeuré dans la tour. Or, le jour
même où la jeune fille vint à la cour, on y avait
appris la mort du géant cruel et félon, tué par
le Chevalier au lion. En son nom, les neveux
de mon seigneur Gauvain avaient salué ce
dernier. Sa nièce lui avait retracé en détails
le service éminent et salutaire qu'il leur avait
rendu par amitié pour lui ; il connaissait fort
bien ce chevalier, avait-elle ajouté, bien qu'il
ignorât son identité. Ces propos parvinrent
aux oreilles de la cadette, toute désemparée,
éperdue d'anxiété, à la pensée de n'obtenir
dans cette cour ni protection ni aide, puisque
le meilleur lui faisait défaut : elle avait, de bien
des façons, invoquant l'amitié, recourant aux
prières, sollicité mon seigneur Gauvain, mais
il avait répondu :

« Amie, c'est en vain que vous me priez,
je ne puis accepter, j'ai entrepris une autre

affaire qu'il m'est impossible d'abandonner. »

La jeune fille alors se présenta devant le roi :

« Roi, dit-elle, je suis venue chercher de l'aide auprès de toi et de ta cour ; ce fut peine perdue ; je suis fort étonnée de n'y trouver aucun soutien. J'aurais pourtant bien peu de savoir-vivre, si je partais sans ton congé. Que ma sœur sache toutefois que je lui céderais volontiers de mon bien à l'amiable, si elle y consentait, mais jamais, pour autant que j'en ai la force, et que j'obtienne quelque appui, je ne lui laisserai mon héritage.

— Voilà, répond le roi, des paroles sensées, et puisqu'elle est ici, je l'invite instamment à vous céder la part qui vous revient de droit. »

Mais l'autre, assurée de l'appui du meilleur chevalier du monde, lance cette réplique :

« Sire, Dieu me confonde si jamais de mon fief je lui laisse en partage château, ville, essart, bois, plaine ou rien d'autre. Pourtant, si un chevalier, quel qu'il soit, ose prendre les armes pour elle, et prétend défendre sa cause, qu'il se présente sur le champ.

— Vous ne lui faites pas une offre recevable, rétorque le roi, le délai n'est pas suffisant ; elle a, si elle y tient, jusqu'à quarante jours pour soutenir son droit devant toutes les cours.

— Cher sire, répond l'aînée, vous avez pouvoir d'établir vos lois à votre gré, selon votre bon plaisir, ce n'est pas à moi de m'y opposer ;

il me faut donc accepter ce délai, si tel est son désir. »

Et sa sœur déclare aussitôt qu'elle en fait la requête et que c'est là tout ce qu'elle souhaite. Sur ce, elle recommande le roi à Dieu ; elle ne cessera, par toutes les terres, de rechercher le Chevalier au Lion, qui ne ménage pas sa peine pour secourir celles qui sont dans la détresse.

La voici donc à sa recherche : elle franchit maintes contrées, sans avoir de lui la moindre nouvelle, ce dont elle éprouva tant de chagrin qu'elle en tomba malade. Mais elle eut la bonne fortune d'arriver chez un de ses amis avec qui elle était très liée ; on s'aperçut bien à sa mine que sa santé n'était guère prospère. On s'efforça donc de la retenir si bien qu'elle confessa toute son affaire.

Une autre jeune fille entreprit le voyage qu'elle avait commencé Elle poursuivit la quête à sa place, tandis que la malade restait au logis. Elle voyagea tout le long du jour, sans nulle escorte, à vive allure, jusqu'à ce qu'il fît nuit obscure. La nuit la remplit de terreur, et ses frayeurs redoublèrent devant la pluie tombant de toute la violence dont Dieu Notre Seigneur peut déverser les eaux du ciel, alors qu'elle était au plus profond du bois. Et la nuit et le bois lui font grande frayeur, et plus que la nuit et le bois l'effraie la pluie qui tombe. Le chemin était si mauvais que souvent son cheval enfonçait dans la boue jusqu'aux sangles ou presque ; aussi pouvait être fort alarmée jeune fille en forêt, sans compagnie, par mauvais temps, par noire nuit, si noire qu'elle ne voyait pas même sa monture. Voilà pourquoi elle invoquait sans cesse Dieu d'abord, et sa mère ensuite, puis tous les saints et toutes les saintes ; et elle dit cette nuit-là mainte oraison, afin que Dieu la conduise à un gîte et la fasse sortir de ce bois. Priant ainsi, elle perçoit enfin le son d'un cor ; quelle joie l'envahit alors, à la pensée de trouver un abri, pourvu qu'elle puisse l'atteindre ; se dirigeant de ce côté, elle emprunte une chaussée, et cette chaussée la mène tout droit vers le cor dont la voix lui parvient : par trois fois, fort longuement, sonne le cor, à pleine force ; continuant toujours, elle arrive à hauteur d'une croix, dressée sur la droite de la chaussée ; c'est par là, pensa-t-elle, que le sonneur doit être ; elle donne de l'éperon, arrive bientôt près d'un pont et voit d'un châtelet rond les blanches murailles et la barbacane. C'est donc ainsi que le hasard la conduisit jusqu'au château, c'est ainsi qu'elle y fut guidée par la voix du cor.

Le sonneur était un guetteur, monté sur les remparts ; sitôt qu'il la voit, il la salue, descend, prend la clé de la porte et lui ouvre en disant :

« Bienvenue, demoiselle, qui que vous soyez. Cette nuit, vous aurez bon gîte. »

— Je ne demande rien de plus pour ce soir »,
fait la voyageuse, tandis qu'il l'emmène.

Après les tourments harassants qu'elle avait
endurés ce jour-là, ce gîte est pour elle une
aubaine, car elle y est fort bien traitée. Le souper
fini, son hôte, engageant la conversation, l'interroge sur sa destination et l'objet de sa quête.
Elle lui répond alors :

« Je suis en quête de quelqu'un que jamais,
je crois bien, je n'ai vu ni connu ; il a un lion
pour compagnon, et l'on m'a dit que, si je le
trouve, je puis avoir en lui une entière confiance.

— Moi-même, dit son hôte, j'en porte témoi-
gnage ; j'étais dans une terrible détresse lorsque
Dieu, avant hier, me l'envoya. Bénis soient
les chemins qu'il emprunta pour arriver jusque
chez moi ; il m'a vengé d'un ennemi mortel
et m'a comblé de joie en le tuant sous mes yeux.
Demain, devant la porte, vous pourrez voir
le corps d'un énorme géant : il eut si tôt fait
de l'occire qu'il n'eut guère le temps de suer.

— Par Dieu, seigneur, s'écrie la jeune fille,
renseignez-moi exactement : savez-vous où il
est allé, et s'il s'est arrêté en quelque endroit ?

— Je n'en sais rien, répond-il, que Dieu
m'en soit témoin. Mais demain, je vous mettrai
sans erreur sur le chemin qu'il a suivi pour
s'en aller.

— Dieu, fait-elle, me mène là où l'on puisse
me renseigner ; si je parviens à le trouver, ma
joie sera sans borne. »

L'entretien dura fort longtemps ; enfin on alla se coucher. Au point du jour, la demoiselle était levée, toute impatiente de trouver celui qu'elle cherchait. Le seigneur du château l'imite, ainsi que tous ses compagnons. On la met sur la bonne route, en direction de la fontaine sous le pin. En toute hâte, elle se dirige vers le château, sans faire aucun détour ; une fois arrivée, elle interroge les premiers qu'elle rencontre : peuvent-ils lui donner des nouvelles du chevalier et de son lion, les compagnons inséparables ? Ils lui répondent qu'ils les avaient vus vaincre trois chevaliers, juste à cet endroit. « Par Dieu, reprend-elle aussitôt, puisque vous m'en avez tant dit, ne me cachez pas le reste, si vous pouvez m'en dire plus.

— Impossible, font-ils, nous ne savons rien d'autre, nous ignorons ce qu'il est devenu. Si celle pour qui il accourut ici ne vous apprend rien sur son compte, il n'y aura personne pour le faire ; d'ailleurs, si vous tenez à lui parler, inutile d'aller plus loin, elle est venue dans cette église pour entendre la messe et prier Dieu, et elle y est demeurée si longtemps que ses prières ont dû se prolonger. »

A ces mots, Lunete sortit de l'église.

« La voici », disent-ils, et la jeune fille s'avance à sa rencontre. Elles échangent un salut et la voyageuse aussitôt la presse de questions. Lunete lui répond qu'elle va faire seller un

de ses palefrois : elle veut l'accompagner et
la conduire jusqu'à un plessis où elle a laissé
le chevalier. La jeune fille l'en remercie de tout
cœur. Le palefroi ne tarde pas, on l'amène à
Lunete et la voilà en selle. En chevauchant,
elle raconte à sa compagne comment elle fut
accusée de trahison, comment, alors que déjà
était allumé le bûcher qu'on lui destinait, le
chevalier vint à son aide, au moment précis
où elle en avait le plus grand besoin.

Tout en parlant ainsi, elle lui fit escorte pour
la mettre enfin sur la route où mon seigneur
Yvain l'avait quittée. L'ayant donc escortée
jusque là, elle lui dit :

« Suivez ce chemin sans relâche, vous arriverez
bien quelque part où, s'il plaît à Dieu et au
Saint-Esprit, on vous donnera, quant au chevalier
des nouvelles plus fraîches que les miennes ;
je me souviens bien de l'avoir quitté à deux pas
d'ici, ou ici même ; depuis, nous ne nous sommes
pas revus, et j'ignore tout de ce qu'il a pu devenir,
car il aurait eu grand besoin d'onguent quand
il se sépara de moi. C'est par ce chemin que
je vous invite à le suivre, et que Dieu vous fasse
la grâce de le découvrir sain et sauf, aujourd'hui
plutôt que demain. Allez donc, je vous recommande à Dieu, car je n'ose vous accompagner
plus avant : ma dame pourrait s'en fâcher. »

Sur ce, elles se quittent, l'une s'en retourne
et l'autre s'en va : elle voyage tant qu'elle décou-

vre le château où mon seigneur Yvain était resté jusqu'à complète guérison. Elle voit devant la porte toute une foule : dames, chevaliers, serviteurs, ainsi que le seigneur du lieu. Après les avoir salués, elle les interroge : qu'ils la renseignent, s'ils le peuvent, sur un chevalier dont elle est en quête :

« Il se distingue par le fait, m'a-t-on dit, que jamais on ne le voit sans un lion.

— Par ma foi, mon enfant, fait le seigneur, le voilà qui nous quitte à l'instant, vous pourrez le rejoindre aujourd'hui même, si vous ne perdez pas ses traces, mais gardez-vous de trop tarder.

— Seigneur, répond-elle, Dieu m'en préserve, mais dites-moi de quel côté je dois le suivre. »

Et tous de lui dire : « Par là, tout droit », en la priant de le saluer de leur part ; peine perdue, car loin de s'en soucier, elle se met au grand galop : l'amble à ses yeux était trop lent, bien que son palefroi fût un rapide ambleur. Galopant à travers les bourbiers ainsi que par les voies au sol uni et plat, elle aperçoit celui que le lion accompagne. Alors, au comble de la joie, elle s'écrie :

« Dieu me protège ! Le voici donc, celui que j'ai si longtemps pourchassé ! Avec quel bonheur j'ai suivi ses traces ! Mais à quoi bon le poursuivre et l'atteindre, si je ne l'attrape ? Maigre profit en vérité. S'il ne s'en revient pas en ma compagnie, mes efforts auront été vains. »

Chrétien fait du suspens - toute une recherche pour Yvain - car justement il va aller très loin - au delà au passe

Tout en disant ces mots, elle se hâte tant que son palefroi ruisselle de sueur ; elle s'arrête auprès du chevalier et le salue ; il s'empresse de lui répondre :

« Dieu vous garde, belle créature, et vous délivre des soucis et des tourments !

— Vous de même, seigneur, en qui j'espère, car vous pourriez m'en délivrer. »

Puis, se plaçant à ses côtés :

« Seigneur, lui dit-elle, je vous ai bien cherché ! Le grand renom de votre gloire m'a contraint à supporter mille fatigues et à franchir maintes contrées. J'ai tant persévéré que, Dieu soit loué, je vous ai rejoint, et quelques maux que j'ai pu endurer, je n'en éprouve aucun regret, je ne m'en plains pas, il ne m'en souvient plus. Je me sens les membres légers, la souffrance s'en est envolée dès lors que je vous ai rejoint. Cette affaire pourtant ne me concerne pas ; celle qui m'envoie vers vous est d'un rang supérieur au mien, d'un plus haut lignage et d'un plus grand mérite ; si elle s'est trompée sur votre compte, alors votre renommée l'a trahie, car cette demoiselle n'attend de secours que de vous seul, pour soutenir sa cause ; sa sœur aînée voulant la priver d'héritage, elle ne requiert aucun appui que le vôtre ; impossible de la persuader qu'un autre pourrait l'assister ; et, soyez-en pleinement convaincu, si vous remportez la victoire, vous aurez reconquis et

racheté le fief de la deshéritée et augmenté
votre prestige. Pour défendre son héritage,
elle avait elle-même entrepris cette quête, espé-
rant obtenir votre soutien, et nulle autre qu'elle
ne fût venue, mais une grave maladie l'a retenue, la forçant à garder le lit. Répondez-moi
donc, je vous prie : oserez-vous venir à son
secours, ou choisissez-vous de vous reposer ?

— Je n'ai cure de me reposer, fait-il, nul
ne peut y gagner en prix, et loin de prendre
aucun repos, je vous suivrai sans hésiter, ma
douce amie, où il vous plaira ; si celle qui vous
envoie attend beaucoup de moi, ne désespérez
pas que je ne fasse pour l'aider tout ce qui est
en mon pouvoir ; Dieu m'accorde la grâce
de défendre, pour son bonheur, la juste cause
de l'infortunée. »

*
* *

Ainsi, tout en parlant, ils chevauchèrent de
conserve, tant et si bien qu'ils approchèrent
du château de la Pire Aventure. Ils ne voulurent
passer outre, le jour était sur son déclin. Tandis
qu'ils approchaient de ce château, les gens
qui les voyaient venir clamaient en chœur :

« Malvenu, seigneur, vous êtes le malvenu !
Ce gîte vous fut indiqué pour votre malheur
et pour votre honte : un abbé pourrait le jurer !

— Ha ! fait-il, vile engeance insensée, pleine

de toutes les bassesses, privée de toutes les vertus, pourquoi m'avoir abordé de la sorte ?

— Pourquoi ? Vous ne le saurez que trop, si vous faites un pas de plus. Mais vous n'apprendrez rien tant que vous n'aurez pénétré dans cette haute forteresse. »

Aussitôt mon seigneur Yvain se dirige vers le donjon ; et les gens s'écrient tous à pleins poumons :

« Hou ! Hou ! Malheureux, où vas-tu ? Si jamais dans ta vie tu as trouvé quelqu'un qui t'abreuvât d'outrages et d'humiliations, là où tu vas, tu en essuieras tant que tu ne pourras le raconter.

— Engeance sans honneur et sans courage, réplique à ces paroles mon seigneur Yvain, engeance importune, engeance insolente, pourquoi cet abord, pourquoi cet assaut ? Que me demandez-vous ? Que me voulez-vous donc, pour grogner ainsi sur mon passage ?

— Ami, tu te fâches pour rien, lui dit une dame d'un certain âge, fort courtoise et fort avisée, ne vois dans leur propos aucune hostilité, ils t'avertissent simplement, pour le cas où tu comprendrais, de ne pas aller héberger là-haut ; ils n'osent t'en dire la raison, mais te rebutent et rabrouent, à seule fin de t'effrayer ; c'est toujours ainsi qu'ils en usent avec les arrivants, pour les dissuader d'aller là-bas. Et la coutume est telle que nous n'osons, quoi

qu'il advienne, recevoir chez nous aucun chevalier étranger. Le reste te regarde : nul ne t'interdit le passage, libre à toi de monter au donjon,
mais si tu m'en crois, tu rebrousseras chemin.

— Dame, fait-il, si je suivais votre conseil,
j'y aurais, je pense, honneur et profit, mais
j'ignore où trouver un autre gîte aujourd'hui.

— Par ma foi, répond-elle, je n'en dis plus
mot, cela ne me concerne pas. Allez où bon
vous semble. Néanmoins, j'aurais grande joie
à vous voir revenir de là-bas sans trop d'avanies,
mais c'est impossible.

— Dame, fait-il, Dieu vous en sache gré !
Mais c'est la folie de mon cœur qui m'entraîne
là-bas, et je ferai ce que mon cœur commande. »

Alors il se dirige vers la porte, avec son lion
et la jeune fille ; le portier l'interpelle et lui lance :

« Venez vite, venez, vous voilà arrivé en un
lieu où l'on saura vous retenir, soyez-y donc
le malvenu. »

C'est ainsi que le portier l'encourage et le
presse de monter, mais que d'insolence dans
son invite ! Mon seigneur Yvain, sans daigner
répondre, passe le seuil à sa barbe, et découvre
une vaste et haute salle, récemment bâtie, et,
par devant, un préau clos d'énormes pieux,
pointus et ronds. Par les interstices des pieux,
il aperçoit des jeunes filles, trois cents peut-
être, occupées à divers ouvrages : elles tissaient
des étoffes de fil et de soie, chacune de son

mieux ; mais tel était leur dénuement que maintes
de ces misérables n'avaient ni guimpe ni ceinture,
elles étaient si pauvres ! Sur la poitrine comme
aux coudes, leurs cottes étaient déchirées et,
dans le dos, leurs chemises souillées ; elles avaient
le cou amaigri et le visage pâli par la faim et
les souffrances. Il les voit, elles le voient : toutes
baissent la tête et se mettent à pleurer ; elles
demeurent ainsi fort longtemps, n'ayant plus
le cœur à rien, les yeux rivés au sol, si profond
est leur désespoir.

Mon seigneur Yvain les regarde un instant
puis, faisant volte-face, revient vers la porte ;
mais le portier s'élance à sa rencontre en
s'écriant :

« Inutile, vous n'êtes pas près de quitter ces
lieux, beau maître ; vous voudriez bien, à l'heure
qu'il est, vous retrouver dehors, mais par ma
tête, c'est peine perdue ; avant, vous aurez
essuyé tant d'outrages que vous ne pourriez
en subir davantage. Quelle idée saugrenue d'être
venu ici, car il n'est pas question d'en sortir.

— Je n'en ai nul désir, fait-il, beau frère,
mais dis-moi donc, par l'âme de ton père, d'où
viennent-elles, les demoiselles que j'ai vues
dans ce château, ces tisseuses d'étoffes de soie
et d'orfrois, dont les ouvrages me plaisent
tant ? Mais quel n'est pas mon déplaisir à les
voir si dolentes, si pâles, si maigres de corps
et de visage ! Il me semble pourtant qu'elles

seraient fort belles et fort gracieuses si elles disposaient de tout le nécessaire.

— Quant à moi, répond l'autre, je ne vous dirai rien, cherchez ailleurs qui vous renseigne.

— Soit, puisque c'est ma seule ressource. »

Il finit par trouver la porte du préau où travaillaient les demoiselles ; il s'avance vers elles et les salue toutes ensemble ; et il voit tomber, goutte à goutte, les larmes qui leur coulaient des yeux, tandis qu'elles pleuraient. Il leur dit alors :

« Dieu veuille vous ôter du cœur et transformer en joie ce chagrin dont j'ignore la cause. »

L'une d'elles répond :

« Dieu vous entende, vous qui l'avez invoqué ! Nous ne vous cacherons pas qui nous sommes ni de quel pays nous venons, peut-être voulez-vous l'apprendre.

— Je ne suis pas venu pour autre chose, fait-il.

— Seigneur, il advint, il y a fort longtemps, que le roi de l'Ile-aux-Pucelles entreprit de voyager par les cours et les pays, en quête de nouveautés ; un beau jour, comme un innocent, il vint se jeter dans ce piège. Son imprudence eut de bien tristes conséquences, car nous, les captives qui sommes ici, nous en supportons la honte et les maux, sans l'avoir mérité. Et vous-même, croyez-moi, vous pouvez vous attendre aux pires avanies, si l'on n'accepte votre

comme les exploits vains d'Yvain au début

rançon. Toujours est-il que mon seigneur se
présenta dans ce château où habitent deux fils
de démon ; n'allez pas croire que je vous serve
d'une fable : ils sont bien nés d'une femme
et d'un nétun. Ces deux monstres devaient
combattre avec le roi : épreuve terrible, il
n'avait pas dix-huit ans ; ils pouvaient l'égorger
comme un tendre agnelet, et le roi, au comble
de la terreur, se tira de ce mauvais pas au mieux
qu'il put : il jura d'envoyer ici chaque année,
tant qu'il serait en vie, trente jeunes filles de
son royaume ; cette redevance le libéra ; et
il fut convenu par serment que ce tribut ne
prendrait fin qu'avec la mort des deux démons ;
et le jour seulement où ils seraient vaincus en
combat, le roi serait quitte de cette taille, et
nous-mêmes délivrées, nous qui sommes vouées
à une vie de honte, de douleur et de misère ;
jamais plus nous n'aurons aucun plaisir. Mais
c'est un pur enfantillage que de parler de délivrance, car jamais nous ne sortirons d'ici,
toujours nous tisserons des étoffes de soie,
et n'en serons pas mieux vêtues ; toujours nous
serons pauvres et nues, et toujours nous aurons
faim et soif ; jamais nous ne pourrons gagner
assez pour être mieux nourries. Du pain, nous
en avons bien chichement, le matin peu et le soir
moins encore, car jamais du travail de nos mains
chacune n'aura pour son vivre que quatre deniers
de la livre ; avec si peu, nous ne saurions avoir

à suffisance nourriture et vêtement. car celle qui rapporte vingt sous par semaine n en est pas pour autant quitte avec la misère. Et soyez-en sûr, il n'est aucune d'entre nous dont le travail ne rapporte vingt sous ou plus, de quoi faire la fortune d'un duc ! Mais nous, nous sommes dans le dénuement, cependant que s'enrichit de nos gains le maître pour qui nous nous épuisons. Nous veillons presque toute la nuit et travaillons tout le jour pour le profit de ce tyran, qui menace de nous mutiler si nous prenons quelque repos ; aussi n'osons-nous pas nous reposer. Mais à quoi bon continuer ? Nous sommes accablées de tant d'outrages et de maux que je ne saurais vous en dire le quart. Mais ce qui nous rend folles de douleur, c'est que bien souvent nous voyons mourir de jeunes chevaliers pleins de vaillance, au cours de leur combat contre les deux démons ; ils paient très cher le gîte qu'on leur offre, comme vous le ferez demain, car tout seul et sans aide, il vous faudra, bon gré mal gré, combattre ces deux diables incarnés et y laisser votre réputation.

— Dieu, le vrai roi des cieux, fait mon seigneur Yvain, m'accorde protection, et qu'il vous rende honneur et joie, si tel est son vouloir. Il me faut à présent vous quitter, pour voir quel accueil me feront les gens de ce château.

— Allez, seigneur, et que vous garde Celui qui prodigue et dispense tous les biens. »

Alors il va jusqu'à la salle, y entre, mais n'y trouve personne qui lui adresse la parole. Traversant toute la demeure, ils arrivent tous trois dans un verger, sans même qu'on ait proposé d'établer leurs chevaux. Qu'importe ! Ils surent fort bien s'en charger, ceux qui pensaient s'approprier celui du chevalier ; je ne sais trop si leur projet fut sage, car en fin de compte, notre héros y gagna d'avoir un cheval reposé. Les chevaux ont ainsi de l'avoine et du foin, et enfoncent jusqu'au ventre dans leur litière. Mon seigneur Yvain pénètre dans le verger, suivi de son escorte ; il voit, appuyé sur le coude, un seigneur magnifiquement vêtu, allongé sur une étoffe de soie ; devant lui, une jeune fille faisait la lecture d'un roman qui racontait je ne sais quoi ; pour l'écouter, une dame était venue s'accouder : c'était sa mère et le seigneur était son père ; le bonheur qu'ils goûtaient à la voir et l'entendre était bien explicable, car ils n'avaient d'autre enfant ; elle n'avait pas plus de seize printemps, et elle était si ravissante et si gracieuse que le dieu d'Amour, s'il l'eût vue, se fût voué à son service et n'aurait pas permis qu'elle fût aimé par un autre que lui-même. Pour la servir, il se serait fait homme, il aurait renoncé à sa divinité, et se serait frappé lui-même de la flèche dont la blessure est incurable, sinon lorsque la soigne un médecin sans loyauté. Nul n'a droit d'en tenter la guérison, avant d'y déceler de la déloyauté, et qui en guérit autrement n'aime pas d'un amour loyal. De cette blessure, je pourrais longuement discourir avant d'épuiser le sujet, s'il vous plaisait de m'écouter ; mais bien vite d'aucuns diraient que je vous parle de chimères, car on n'a plus souci d'aimer, on n'aime plus comme on aimait jadis et l'on ne veut pas même en entendre parler. Mais écoutez donc comment on reçoit mon seigneur Yvain, quel accueil on lui fait, quel visage on lui offre. En son honneur s'empressèrent de se lever tous ceux qui se trouvaient dans le verger, en lui disant, sitôt qu'ils l'aperçurent :

« Or çà, cher seigneur, par le Verbe et les œuvres de Dieu, soyez béni, vous et tout ce qui est vôtre ! »

Veulent-ils l'abuser, je n'en sais rien, mais ils l'accueillent avec chaleur, et semblent trouver grand plaisir à lui assurer la plus agréable hospitalité. Même la fille du seigneur le sert et a pour lui tous les égards que l'on doit à un hôte de marque ; elle le débarrasse de tout son harnois et ce n'est rien encore : elle lui lave de ses mains le visage et le cou. Son père veut que l'on prodigue à l'invité toutes les marques d'honneur, et c'est là ce que fait sa fille ; elle lui tire de son coffre une chemise plissée et de blanches braies, l'en revêt puis, prenant du fil et une aiguille, lui coud ses manches. Dieu veuille qu'il ne paye trop cher toutes ces attentions !

Elle lui donne un surcot neuf à vêtir par dessus, et lui agrafe au cou un manteau sans taillades, d'écarlate fourrée. Elle s'affaire tant à le servir qu'il en est tout confus, mais la jeune fille est si courtoise, si noble et si généreuse qu'elle pense avoir fait trop peu encore. Elle est sûre d'avoir l'agrément de sa mère, en ne lui laissant à charge aucun de ses devoirs d'hôtesse.

Le soir, lors du repas, on servit au chevalier tant de mets qu'il y en eut à profusion, de quoi lasser les serviteurs qui les apportaient ; la nuit venue, on le mena se coucher en grande cérémonie, sans rien négliger pour son confort ; dès le moment qu'il fut au lit, chacun se retira. Le lion était allongé à ses pieds comme à l'accoutumée.

Le lendemain, quand Dieu eut rallumé par le monde son luminaire, aussi matin qu'il put le faire, lui qui règle la création, mon seigneur Yvain se leva en hâte, de même que la jeune fille qui l'accompagnait. Ils entendirent dans une chapelle une messe qui fut promptement célébrée, en l'honneur du Saint-Esprit.

Après la messe, mon seigneur Yvain apprit une nouvelle bien fâcheuse : il pensait partir sans difficulté, mais ne put agir à sa guise. Quand il dit : « Seigneur, je m'en vais, si vous le permettez, avec votre congé », le maître de maison lui répondit :

« Ami, il n'est pas temps encore de vous l'accorder. Je ne le puis avec juste raison : dans ce château est établie une coutume diabolique fort redoutable, que j'ai l'obligation de respecter. Je vais faire venir ici deux de mes serviteurs, très grands et très forts ; contre eux deux, de gré ou de force, il vous faudra prendre les armes. Si vous parvenez à leur résister, à les vaincre et les tuer tous les deux, ma fille vous prend pour époux, et ce château vous attend, avec toutes ses dépendances.

— Seigneur, fait le chevalier, je ne veux rien de votre terre, Dieu m'en refuse à ce prix la moindre parcelle, et gardez votre fille, l'empereur d'Allemagne serait enchanté de l'avoir pour épouse, car elle est d'une grande beauté et d'une parfaite éducation.

— Taisez-vous, cher hôte, dit le seigneur, c'est vainement que vous vous dérobez : vous ne pouvez y échapper. Mon château, la main de ma fille et toute ma terre, c'est là ce qui doit revenir au chevalier capable de vaincre en champ clos vos futurs assaillants. Le combat ne peut faillir, il est inéluctable. C'est la couardise, j'en suis sûr, qui vous fait refuser ma fille : vous pensiez bien être hors d'affaire, mais soyez-en persuadé, il vous faudra combattre. Nul chevalier qui couche ici ne peut y échapper sous aucun prétexte. C'est une coutume bien établie, et qui n'est pas prête de prendre fin,

car ma fille ne se mariera point, avant que je
n'aie vu les deux champions morts ou vaincus.

— Eh bien, je m'incline, mais c'est malgré
moi ; et je m'en serais passé avec joie, je vous
l'assure ; j'irais donc au combat à mon vif *pourquoi ?*
déplaisir, puisque je ne peux l'éviter. »

Viennent alors, hideux et noirs, les deux fils
du nétun. Tous deux avaient un bâton cornu
de cornouiller, garni de cuivre et entouré de
fil d'archal. Des épaules jusqu'aux genoux,
ils portaient une armure, mais avaient la tête
et le visage découverts, et leurs jambes nues
n'étaient guère fluettes. Pour compléter leur
équipement, ils tenaient à la main un écu rond,
robuste et léger pour l'escrime. A leur vue,
le lion commence à frémir, car il comprend
fort bien qu'ainsi équipés, ils viennent combattre son maître. Son poil se hérisse, sa crinière
se dresse, il tremble de fureur et de courroux
et bat la terre de sa queue, brûlant de s'élancer
à la rescousse, avant qu'il ne soit trop tard.
Dès qu'ils le voient, les nétuns s'écrient :

« Vassal, écartez votre lion qui nous menace,
ou déclarez-vous vaincu, sinon, croyez-nous,
il vous faut le mettre en tel lieu qu'il ne risque
pas de vous aider et de nous nuire ; c'est seul
que vous devez vous divertir en notre compagnie,
car le lion ne demanderait qu'à vous porter
secours s'il le pouvait.

— Vous en avez peur ? Chassez-le vous-

mêmes, réplique mon seigneur Yvain, car j'aurai
grand plaisir, s'il y parvient, à le voir vous mettre
à mal, et s'il m'aide, j'en serai fort aise.

— Par Dieu, font-ils, il n'est pas question
qu'il vous aide. Luttez du mieux que vous
pourrez, seul et sans aucun appui. Vous devez
être seul et nous, deux ; si le lion demeurait à
vos côtés pour nous affronter, alors vous ne
seriez pas seul, mais deux contre nous deux.
Il faut donc, c'est la règle, écarter votre lion,
bon gré mal gré.

— Où voulez-vous qu'il aille ? répond-il, où
vous plaît-il que je le mette ? »

Ils lui montrent alors une petite chambre
et lui disent :

« Enfermez-le là.

— Comme vous voudrez, fait-il. »

Il le conduit donc dans la chambre et l'y
enferme. On court aussitôt lui chercher son
armure et on l'équipe. On lui amène son cheval
et il se met en selle. Impatients de le malmener
et de le couvrir d'opprobre, les deux champions
fondent sur lui, sans plus craindre le lion enfermé
dans la chambre. De leurs massues, ils donnent
au chevalier de si rudes coups que ni heaume
ni écu ne lui sont d'un grand secours. Quand ils
l'atteignent sur le heaume, le voilà fendu et
tout bosselé ; l'écu à son tour se brise et fond
comme glace ; les trous sont si énormes qu'on
y pourrait passer le poing. Comme leurs coups

sont redoutables ! Et lui, comment traite-t-il
les deux diables ? Il se défend avec une ardeur
que décuplent la honte et la crainte ; bandant
son énergie, il s'évertue à leur distribuer des
coups d'une terrible violence. Ils ne sont pas
frustrés de ses présents, car il leur rend au double
leurs bontés.

Cependant le lion, toujours prisonnier, se
ronge d'inquiétude : il se souvient du geste
charitable qu'eut envers lui son généreux seigneur,
lui qui aurait grand besoin, à présent, de son
aide ; l'animal lui rendrait ce bienfait volontiers,
à grands setiers et à grands muids, s'il parvenait
à s'échapper : il n'y ferait pas mauvaise mesure.
Il va fouillant dans tous les sens, mais ne découvre
aucune issue. Percevant le fracas du combat
si périlleux, si acharné, il en ressent une telle
douleur qu'il enrage tout vif et croit perdre
le sens. Tout en cherchant, il parvient à la porte,
dont le bas était pourri près du sol : il l'arrache,
s'aplatit et s'engage dans la brèche jusqu'aux
reins. Mon seigneur Yvain était déjà épuisé
et baigné de sueur, car il se heurtait à l'endurance,
la ruse et la puissance des deux géants. Il avait
reçu de multiples coups, les avait rendus le
mieux qu'il pouvait, mais sans leur causer la
moindre blessure, si grande était leur science
de l'escrime. Quant à leurs écus, aucune épée
n'en pouvait rien ôter, aussi tranchante et
acérée fût-elle. Mon seigneur Yvain avait donc

bien droit de redouter la mort ; il tint bon
cependant, jusqu'à ce que le lion s'évadât de
la chambre, tant il avait gratté sous le seuil.
Si dès lors les coquins ne sont vaincus, ils ne
le seront jamais, car le lion ne leur fera trève
aussi longtemps qu'il les saura en vie. Il en
saisit un et le jette à terre comme un mouton.
Voilà les ribauds remplis d'épouvante, et il
n'est pas un spectateur dont le cœur n'exulte
de joie. Le démon terrassé par le lion n'est pas
près de se relever, si l'autre ne vient à son aide ;
celui-ci s'élance, tant pour secourir son compagnon que se défendre lui-même, de crainte
que le lion ne se jette sur lui, après avoir achevé
sa victime : il redoute bien plus l'animal que
son maître. Tournant alors le dos à mon seigneur
Yvain, il lui offre le cou à découvert : bien fou
serait le chevalier s'il le laissait plus longtemps
vivre, car l'occasion est excellente. Le stupide
vaurien lui livre sans défense la tête et la nuque :
aussi, lui appliquant un maître coup, il lui
tranche la tête au ras du buste, si gentiment
que l'autre n'en sait mot. Sans perdre un instant,
il met pied à terre, pour tenter de sauver et
d'arracher au lion le démon qu'il tient entre
ses griffes. En vain ! Le misérable est trop
éprouvé, jamais un médecin n'arriverait à temps :
l'animal, emporté par la rage, l'a blessé si
grièvement qu'il l'a mis en piteux état. Pourtant, son maître le repousse et s'aperçoit alors

que le lion avait arraché l'épaule entière du ribaud. Le chevalier n'a plus à s'inquiéter, car l'autre a lâché son bâton ; il gît comme un moribond, sans un mouvement ; mais il lui reste assez de force pour bredouiller au vainqueur :

« Écartez votre lion, cher seigneur, par pitié, qu'il ne me touche plus : désormais vous pouvez faire de moi tout ce que bon vous semble. Qui demande et implore merci ne doit manquer d'obtenir grâce, s'il ne rencontre un homme sans pitié. Je cesserai de me défendre et n'essaierai pas de me relever, même si je le puis, et je me remets à votre merci.

— Dis-moi donc, fait le chevalier, avoues-tu ta défaite et renonces-tu au combat ?

— Seigneur, répond l'autre, c'est bien évident ; je suis vaincu malgré moi, et je renonce au combat, je vous l'accorde.

— Tu n'a donc plus rien à craindre de moi, et mon lion, lui-aussi, te laissera en paix. »

Aussitôt on accourt, on se presse autour de lui ; le seigneur et la dame ensemble lui font fête et l'embrassent en lui disant à propos de leur fille :

« Vous allez devenir notre maître et notre seigneur, et notre fille sera votre dame, car nous vous la donnerons pour épouse.

— Et moi, fait-il, je vous la rends. Qui la veut, qu'il l'ait ! Je n'ai cure d'elle ; pourtant n'allez pas croire que je la méprise, et ne vous fâchez pas si je ne la prends, je ne le puis ni ne le dois. Mais, s'il vous plaît, délivrez-moi les prisonnières que vous retenez ; le moment est venu, vous ne l'ignorez pas, où elles doivent partir libres.

— Ce que vous dites est vrai, réplique le seigneur, je vous accorde leur liberté, plus rien ne s'y oppose. Mais prenez ma fille, vous ferez bien, prenez-là, avec tout mon avoir, elle est si belle, si gracieuse et si sage ; jamais vous ne ferez un aussi beau mariage si vous refusez ce parti.

— Seigneur, dit-il, vous ignorez ma situation et ce qui me retient, et je n'ose vous le dévoiler. J'ai conscience de refuser ce que nul ne refuserait, s'il avait quelque inclination pour une jeune et gracieuse beauté. Je l'épouserais avec joie, si je pouvais agir à ma guise, mais tenez-vous le pour dit, je ne puis l'épouser, ni elle ni une autre. N'insistez donc plus, la demoiselle qui est venue avec moi m'attend. Elle m'a accompagné, et je veux à mon tour lui tenir compagnie, quoi qu'il doive m'en advenir.

— Vous le voulez, mon beau seigneur ? Et comment cela ? Jamais, si je ne l'ordonne et si tel n'est point mon désir, ma porte ne vous sera ouverte, mais vous resterez mon prisonnier. Quel affront, quel outrage ! Je vous prie d'épouser ma fille, et vous la dédaignez !

— La dédaigner, seigneur ? J'en suis loin,

par mon âme. Mais je ne puis prendre épouse
ni demeurer, quoi qu'il m'en coûte. Cette demoiselle qui m'emmène, je la suivrai, il ne peut
en être autrement. Mais si vous y tenez, je vais
de ma main droite vous jurer, et vous devez
m'en croire, qu'aussi vrai que vous me voyez,
je reviendrai, si je le puis, pour épouser ensuite
votre fille.

— Malheur à qui vous demande plus rien,
ou qui requiert de vous serment ou garanties !
Si ma fille vous plaît, épousez-la, belle et gracieuse
comme elle est, et revenez en toute hâte ; mais
ni serment ni foi jurée ne vous feront, je crois,
anticiper votre retour. Allez donc, je vous exempte
de tout gage et de toute promesse. Que vous
retiennent pluie, vent, ou tout ce qu'on voudra,
peu m'importe. Jamais je ne mépriserai assez
ma fille pour vous la donner de force. Allez
donc à votre affaire, et revenez ou demeurez,
cela m'est bien égal. »

Mon seigneur Yvain n'attend pas, il quitte
le château, emmenant avec lui les captives
libérées que le seigneur lui a remises, pauvres
et en haillons, mais à leurs yeux, elles sont riches,
car deux par deux, toutes ensembles, elles
sortent du château, précédant leur libérateur ;
et je ne crois qu'elles eussent témoigné autant
de joie à Celui qui créa le monde, s'il fût descendu
du ciel sur la terre.

Vinrent alors demander grâce au chevalier

tous ceux qui, à son arrivée, l'avaient abreuvé
d'insolences. Tandis qu'ils l'escortent de leurs
suppliques, il leur répond qu'il a tout oublié :

Je ne sais ce que vous voulez dire, et je vous
déclare quitte envers moi : jamais, autant qu'il
m'en souvienne, vous ne m'avez rien dit que
je puisse prendre mal. »

Ravis de ce pardon, ils ne tarissent pas d'éloges
sur sa courtoisie. Après l'avoir longuement
escorté, tous le recommandent à Dieu ; les
demoiselles, à leur tour, lui demandent congé ;
au moment de la séparation, elles s'inclinent
toutes devant lui, en lui souhaitant dans leurs
prières d'obtenir de Dieu bonheur et santé :
qu'il arrive selon ses vœux en quelque lieu qu'il
aille. Il leur répond par un « Dieu vous protège »,
car tous ces retards l'importunent :

« Allez, fait-il, Dieu vous ramène en vos pays,
dans le bonheur et la santé. »

Aussitôt, elles se mettent en route et s'éloignent, menant grande joie. Mon seigneur Yvain,
quant à lui, part sur-le-champ.

Ne cessant de chevaucher à bride abattue,
au long d'une semaine entière, il suit la jeune
fille qui connaissait parfaitement le chemin
et la retraite où elle avait laissé, désolée et désemparée, la cadette déshéritée. Mais quand celle-ci

apprit l'arrivée de la jeune fille et du Chevalier au lion, aucune joie ne peut se comparer à celle qu'elle eut dans le cœur, tant est grand son espoir de voir sa sœur lui concéder une part de son héritage, si elle l'exige. Sa maladie l'avait longtemps clouée au lit, et elle venait tout juste de s'en remettre, après avoir été durement éprouvée, comme sa mine en témoignait. Au-devant du chevalier, la toute première, elle accourt sans tarder, le salue et le comble de toutes les marques d'honneur qu'elle connaisse. Point n'est besoin d'évoquer l'allégresse qui régna ce soir-là au château : on n'en soufflera mot, il y aurait bien trop à conter ; je vous en fais donc grâce, et je reprends au moment où, le lendemain, ils se mirent en selle et s'en allèrent.

Ils battirent tant les chemins qu'ils aperçurent un château, où le roi Arthur séjournait depuis une quinzaine au moins. S'y trouvait aussi la demoiselle qui privait sa cadette de son héritage ; elle n'avait cessé de suivre la cour, et attendait la venue de sa sœur, qui n'est plus qu'à deux pas. Mais elle attend d'un cœur léger, persuadée qu'on ne trouvera pas de chevalier qui puisse résister à mon seigneur Gauvain en combat singulier. Il ne restait qu'un jour sur les quarante du délai ; et son procès, nul doute, elle allait le gagner sans réserve, en bonne justice, quand cet ultime jour serait passé. Elle aura pourtant fort à faire, bien plus qu'elle ne l'imagine.

Les voyageurs passèrent la nuit hors du château, dans une petite maison basse, où nul ne les reconnut ; s'ils avaient dormi au château, c'en était fait de leur incognito, et ils tenaient à le garder.

A l'aube, ils quittent leur gîte à la hâte, puis se tiennent cachés et tapis jusqu'à ce qu'il fasse grand jour.

Depuis plusieurs jours, je ne sais combien, mon seigneur Gauvain vivait loin de la cour, et nul ne savait rien de lui, hormis la jeune fille pour laquelle il voulait combattre. Il s'était éloigné de la cour de trois ou quatre lieues, et il y revint ainsi équipé que même ses amis de longue date ne purent le reconnaître à ses armes. La demoiselle dont le tort envers sa sœur était flagrant, présente son champion aux regards de la cour : grâce à lui, elle espère gagner le procès où le droit, pourtant, n'est pas pour elle.

« Sire, dit-elle, le temps passe, il sera sous peu none bien sonnée, et c'est aujourd'hui qu'expire le délai. On le voit bien, je suis en état de défendre ma cause, il faut qu'on me rende justice ; si ma sœur devait revenir, elle n'aurait plus à tarder. Mais, Dieu soit loué, rien n'annonce son retour. Il est trop clair qu'elle n'a pu mieux faire, aussi me suis-je tourmenté pour rien, en me tenant prête, chaque jour jusqu'au dernier, à disputer mon bien. J'ai vaincu sans combat, il est donc juste que

je m'en retourne jouir en paix de mon héritage ;
aussi longtemps que je vivrai, je n'en rendrai
plus aucun compte à ma sœur, et elle vivra
dans la misère et la douleur. »

Le roi savait fort bien que la perfide avait
tort ; il lui répondit :

« Amie, en cour royale, on doit attendre,
par ma foi, jusqu'à ce que le tribunal du roi
ait délibéré et prononcé. Inutile de manœuvrer :
votre sœur, je crois, peut encore arriver à temps. »

Le roi n'avait pas achevé qu'il aperçut le
Chevalier au lion, sa protégée à ses côtés ;
ils venaient seuls, ayant faussé compagnie au
lion qui était resté à leur dernier gîte. Le roi,
en voyant la cadette, ne manqua pas de la
reconnaître, et son arrivée l'enchanta, car dans
ce procès, c'est vers elle qu'il penchait, soucieux
qu'il était d'équité. Tout à la joie, il lui dit, sans
perdre un instant :

« Approchez, belle, que Dieu vous garde. »

A ces mots, l'aînée tressaille, se retourne
et voit sa sœur ainsi que le chevalier qu'elle
avait amené pour soutenir sa cause ; elle en
devient plus noire que terre. Toute la cour
offrit à l'arrivante un accueil chaleureux ; elle
s'avança jusque sous les yeux du roi ; une fois
devant lui, elle lui déclara :

« Dieu protège le roi et sa maison ! Roi,
si ma cause et mon bon droit peuvent être soute-
nus par un chevalier, ce sera par celui-ci :

grâce lui en soit rendu, il m'a suivi jusqu'ici ;
et pourtant, il aurait eu ailleurs beaucoup à
faire, le noble et généreux chevalier ; mais
il s'est pris pour moi d'une telle pitié qu'il a
négligé toute ses affaires en faveur de la mienne.
Cependant, quel beau mouvement de courtoisie
aurait ma dame, ma très chère sœur, que j'aime
autant que moi-même, si elle me rendait mon
dû ! Quel beau geste elle accomplirait, car je
ne réclame rien de son bien.

— Ni moi du tien, assurément, lance l'aînée,
car tu n'as rien et n'auras jamais rien. Prêche
autant que tu veux, tu ne gagneras rien par ton
prêchi-prêcha ; tu pourras en sécher de dépit. »

Conciliante, sage et courtoise à merveille,
la cadette réplique aussitôt :

« En vérité, je suis bien affligée que pour
nous deux s'affrontent deux chevaliers d'aussi
grande valeur ; notre différend est bien mince,
mais je ne puis le tenir pour réglé, mon préjudice
en serait immense. Aussi vous saurais-je le
meilleur gré de me laisser ma juste part.

— En vérité, riposte l'autre, qui te répondrait
aurait bien du temps à perdre. Que le feu infernal
me dévore, si je te donne de quoi mieux vivre.
Les rives du Danube et de la Saône se rejoin-
dront, plutôt que tu n'en obtiennes rien sans
combat.

— Que Dieu et mon droit, en qui je me fie
et me suis toujours fiée, assistent et préservent

de tout malheur celui qui, par noblesse et bonté
d'âme, s'est offert sans réserve à me servir,
bien qu'il ignore qui je suis, et que ni lui ni moi,
nous ne nous connaissions. »

Ainsi prend fin la discussion. Elles amènent
les champions devant la cour, et toute la foule
accourt au spectacle, comme ont coutume d'y
courir les amateurs de belles joutes et de beaux
coups d'escrime. Mais ceux qui allaient s'affronter étaient l'un pour l'autre des inconnus, malgré
la profonde amitié qui les unissait depuis si
longtemps. Et à présent, ne s'aiment-ils donc
plus ? Je vous réponds « si » et « non » à la
fois ; et je vais prouver l'un et l'autre, de telle
façon que je justifierai mon point de vue. Assurément, mon seigneur Gauvain aime Yvain, et
l'appelle son compagnon ; Yvain fait de même
où qu'il soit ; même à l'instant présent, s'il
le reconnaissait, quelle fête il lui ferait ! Il irait
jusqu'à sacrifier sa vie pour lui, et mon seigneur
Gauvain perdrait pour lui la sienne plutôt que
de souffrir qu'on lui fasse un mauvais parti.
N'est-ce donc pas l'Amour, absolu et parfait ?
Oui certes, mais la Haine, d'autre part, n'est-
elle pas flagrante ? Si, car à n'en pas douter,
ils n'ont qu'un seul désir : briser la tête à l'adversaire et lui infliger tant de honte qu'il y perde
sa renommée. Par ma foi, c'est un vrai prodige
de trouver réunis Amour et Haine mortelle.
Dieu ! Comment un même logis peut-il abriter

deux choses si contraires ? Une même demeure,
à mon avis, ne peut les loger toutes deux, car
elles ne sauraient cohabiter, ne fût-ce qu'un
seul soir, sans que n'éclatent querelles et dis-
putes, dès que l'une y apprit la présence de
l'autre. Mais dans une maison, il y a plusieurs
pièces, on la divise en loges et en chambres ;
ainsi tout s'éclaire : peut-être qu'Amour s'était
enfermé dans quelque chambre secrète, tandis
que Haine s'était installée dans les loges donnant
sur la rue, par désir d'être vue.

Voici que Haine s'élance : piquant des deux,
elle éperonne jusqu'au sang pour attaquer Amour,
mais Amour ne bouge pas de sa cachette. Ah !
Amour, où te caches-tu ? Sors donc, tu verras
quel hôte ont lancé contre toi les ennemis de tes
amis ; ces ennemis sont pourtant ceux-là même
qui s'entr'aiment du plus saint amour, car un
amour qui n'est ni faux ni feint est une chose
inestimable et sainte. Mais Amour est aveugle,
et Haine n'y voit goutte, car Amour devrait
leur défendre, s'il les reconnaissait, de s'affronter
et de se nuire en rien. Amour est aveuglé, vaincu,
trompé : ceux qui sont de plein droit ses sujets,
il les voit, et ne les reconnaît pas ; et Haine,
incapable de dire pourquoi ils se détestent,
veut les faire combattre sans raison : ils se
haïssent à mort, et chacun d'eux, je vous l'assure,
est loin d'aimer celui qui voudrait lui ravir
l'honneur et souhaite le tuer. Comment ? Yvain

veut-il donc tuer mon seigneur Gauvain son
ami ? Oui, et son ami a le même dessein. Mon
seigneur Gauvain voudrait donc donner de
ses mains la mort à Yvain, ou faire pis que je
ne dis ? Point du tout, je vous en fais le serment.
Aucun d'eux ne voudrait avoir accablé l'autre
d'infamie, même pour tous les biens que Dieu
créa pour l'homme, ni pour tout l'empire de
Rome. Mais je viens de mentir indignement,
car on voit de toute évidence que l'un veut se
ruer sur l'autre, la lance en arrêt sur l'arçon ;
chacun est impatient de cribler l'autre de blessures, de l'humilier, de le réduire au désespoir,
et il n'ira pas de main morte. Dites-moi donc :
de qui se plaindra le plus malmené, quand
l'un aura terrassé l'autre ? Car s'ils en viennent
à s'affronter, j'ai grand peur qu'ils ne fassent
durer la bataille jusqu'à la défaite de l'un des
deux. Yvain pourra-t-il soutenir à bon droit,
s'il a le dessous, que le responsable de son humi-
liation est celui qui le compte parmi ses amis,
et qui ne lui donna jamais que le nom d'ami
et de compagnon ? Ou s'il advient par aventure
qu'Yvain inflige quelque outrage à son ami,
ou l'emporte tant soit peu sur lui, le vaincu
aura-t-il le droit de se plaindre ? Certes non,
car il ne saura de qui.

Les voilà tous deux qui prennent du champ,
incapables qu'ils sont de se reconnaître. Dès
le premier choc, ils font voler en éclats leurs

12

épaisses lances de frêne. Ils gardent le silence,
mais s'ils s'étaient interpellés, leur assaut eût
été bien différent. Ils n'auraient certes pas
échangé, lors de cette rencontre, de coups de
lance ni d'épée : ils se seraient précipités dans
les bras l'un de l'autre, plutôt que de se massacrer, alors qu'à présent ils s'écharpent et s'entre-
tuent ; les épées n'y gagnent rien, ni les heaumes
ni les écus, qui ne sont que bosses et fentes ;
les tranchants des épées s'ébrèchent et s'émous-
sent, car ils frappent à toute volée, de taille
et non d'estoc, et font pleuvoir de tels coups
de pommeaux sur le nasal, le dos, le front,
les joues, que les chairs en sont toutes bleuies,
là où le sang afflue ; dans leur fougue à trancher
les haubergs, à mettre en pièces les écus, aucun
des deux ne reste indemne ; à force de combattre
avec tant d'âpreté, peu s'en faut qu'ils ne soient
hors d'haleine ; si ardente est leur lutte qu'il
n'est d'hyacinthe ou d'émeraude serties dans
les heaumes qui ne soient broyées et arrachées,
car de leurs pommeaux, ils s'assènent des coups
si terribles qu'ils en restent tout étourdis, et que
pour un peu ils se fendraient le crâne : leurs
yeux jettent des étincelles, ils ont les poings
robustes et massifs, les muscles puissants, les
os solides, aussi s'appliquent-ils les plus rudes
nasardes de leurs épées qu'ils serrent dans leur
poigne, et dont les formidables coups leur appor-
tent un appui sans second.

Ils ont longtemps lutté, jusqu'à épuisement ; les heaumes sont brisés et les écus fendus et fracassés ; alors ils se séparent de quelques pas, le temps de laisser leur sang s'apaiser et de reprendre haleine. Mais la pause ne dure guère, déjà ils foncent l'un sur l'autre, avec plus de fureur qu'ils n'en avaient jamais montré, et tous les spectateurs affirment que jamais ils n'ont vu deux chevaliers si acharnés :

« Ils ne se battent pas pour rire, bien loin de là, c'est une lutte pour de bon. Jamais on ne pourra leur rendre les récompenses qu'ils méritent ».

Ces propos arrivent aux oreilles des deux amis occupés à se massacrer ; ils entendent que l'on essaie de réconcilier les deux sœurs, mais impossible d'amener l'aînée à conclure la paix. Sa sœur s'en remettait au jugement royal, et s'engageait à le respecter. Mais l'aînée se montre si obstinée que même la reine Guenièvre, les experts en matière de lois, les chevaliers et le roi se rangent aux côtés de l'autre. Et tous viennent prier le roi de faire don à la plus jeune, malgré le refus de sa sœur, d'un tiers ou d'un quart du domaine et de séparer les deux chevaliers : ils sont d'une vaillance émérite, quel irréparable malheur, si l'un des deux massacrait l'autre, ou lui ravissait une parcelle d'honneur ! Mais le roi répond qu'il ne s'entremettra en rien pour conclure la paix, car la sœur aînée s'y refuse, tant elle est d'un méchant naturel.

Voilà donc ce qu'entendent les deux adversaires dont l'ardeur à se pourfendre provoque la surprise générale ; devant une bataille aussi égale, nul n'est capable de trancher qui l'emporte ou qui a le dessous. Les combattants eux-mêmes, qui achètent l'honneur au prix du martyre, sont au comble de la stupeur en voyant à quel point leurs assauts se ressemblent ; chacun d'eux se demande avec étonnement quel est donc le héros qui lui résiste si farouchement. Le combat dure si longtemps que le jour décline ; tous deux ont le bras harassé, le corps meurtri. Le sang tout chaud, à gros bouillons, jaillit de leur corps par mainte blessure et coule sous les hauberts ; comment s'étonner qu'ils veuillent se reposer ? Leurs souffrances sont atroces.

Ils se reposent donc, et chacun estime à part lui qu'il vient de trouver son égal, après l'avoir tant attendu. Ils prolongent tous deux la pause, n'osant reprendre le duel ; ils n'ont pas envie de se battre davantage, car la nuit s'obscurcit, et chacun d'eux redoute fort son adversaire ; ces deux motifs les incitent vivement à demeurer en paix ; mais avant de quitter le champ de bataille, ils n'auront pas manqué de renouer leur amitié, et une joie mêlée de compassion les réunira.

Mon seigneur Yvain, dont la courtoisie égalait
la vaillance, parla le premier, mais son grand
ami lui-même ne le reconnut pas à sa voix,
qui rendait ses paroles peu audibles : elle était
enrouée, faible et cassée, car tout son sang
bouillonnait sous l'effet des coups qu'il avait
reçus.

« Seigneur, dit-il, la nuit approche : je ne
crois pas que vous encouriez blâme ni reproche,
si la nuit nous sépare. Je puis dire, quant à moi,
que vous m'inspirez une immense crainte, et
autant d'admiration. Jamais de ma vie je n'ai
engagé un combat dont j'ai eu tant à souffrir,
ni rencontré un chevalier que j'aurais autant
voulu connaître. J'ai pour vous la plus haute
estime, car j'ai pensé me voir vaincu. Avec quel
art vous assénez vos coups, avec quel art vous
les placez ! Jamais chevalier de ma connaissance ne sut me payer autant de coups ; et
j'aurais préféré en recevoir bien moins que
vous ne m'en avez prêté aujourd'hui, j'en suis
tout étourdi.

— Par ma foi, répond mon seigneur Gauvain,
vous avez beau être assommé et moulu, je le
suis autant, sinon plus. Mais si j'apprenais
qui vous êtes, peut-être n'en serais-je pas fâché.
Si je vous ai prêté du mien, vous me l'avez
bien rendu, intérêt et principal, car vous mettiez
plus de largesse à rendre que moi je n'en mettais
à prendre. Enfin, quoi qu'il advienne, puisque

vous désirez savoir mon nom, je ne vous le cacherai pas, je suis Gauvain, le fils du roi Lot. »

Cette révélation laisse Yvain stupéfait, éperdu ; de rage et de désespoir, il jette à terre son épée encore toute sanglante et son écu réduit en pièces ; il descend de cheval et s'écrie :

« Hélas ! Quelle infortune ! Une funeste méprise nous a fait nous affronter sans nous être reconnus ; car jamais, si j'avais su qui vous étiez, je ne vous eusse livré bataille : j'aurais déclaré renoncer par avance au combat, je vous l'assure.

— Comment, fait mon seigneur Gauvain, qui êtes-vous donc ?

— Je suis Yvain, qui vous aime plus que nul être sur la terre, si vaste soit-elle, car vous m'avez toujours aimé et honoré dans toutes les cours. Mais je veux, en cette affaire, vous offrir réparation et vous rendre honneur : je me reconnais pleinement vaincu.

— Vous feriez cela pour moi, dit mon seigneur Gauvain, ce modèle de douceur. En vérité, je serais bien outrecuidant, si j'acceptais cette réparation. Cet honneur ne me reviendra pas, il est à vous, je vous l'abandonne.

— Ah ! `cher seigneur, n'en dites pas plus, il ne saurait en être ainsi ; je ne peux plus tenir debout, tant je suis épuisé, exténué.

— Vraiment, vous perdez votre peine, lui répond son ami et compagnon. C'est moi qui

dépasser le code chevaleresque

suis vaincu et mal en point, et ce n'est pas flatterie de ma part, car il n'existe au monde d'étranger à qui je n'en eusse dit tout autant, plutôt que de continuer à essuyer des coups. »

Tout en parlant, ils mettent pied à terre, puis, se jetant dans les bras l'un de l'autre, ils s'embrassent et n'en finissent pas de se proclamer vaincus.

Cette dispute s'éternise : le roi et les barons accourent et font cercle autour des deux héros ; ils les voient se congratuler, et sont impatients de savoir pourquoi, et d'apprendre quels sont ces jouteurs qui se font une telle fête.

« Seigneurs, fait le roi, dites-nous d'où viennent cette amitié et cet accord soudains. N'ai-je donc pas vu, tout le long du jour, la discorde et la haine régner entre vous ?

— Sire, répond mon seigneur Gauvain, son neveu, on ne vous taira rien de l'insigne infortune qui a provoqué ce combat. Puisque vous tenez à l'apprendre, il est juste qu'on vous dise tout. Moi, Gauvain, votre neveu, je n'ai pas reconnu mon compagnon, mon seigneur Yvain que voici, jusqu'à ce qu'enfin, grâce lui en soit rendue, il s'enquît de mon nom, ainsi qu'il plut à Dieu. Nous nous dîmes qui nous étions, et ne nous reconnûmes qu'après nous être bien battus. Car ce fut un rude combat, et si nous avions prolongé la lutte quelque temps encore, mon sort eût été bien funeste : j'en jure par ma tête, j'aurais péri, victime de sa vaillance et de l'injuste cause de celle qui m'avait envoyé en champ clos. Mais je préfère de beaucoup que mon ami m'ait vaincu par les armes plutôt que tué. »

A ces mots, le sang de mon seigneur Yvain ne fait qu'un tour :

« Très cher seigneur, se récrie-t-il, que Dieu me vienne en aide, vous avez grand tort de parler ainsi ; que le roi mon seigneur soit certain que, dans ce combat, c'est moi le vaincu, sans doute possible.

— Non, moi, fait l'un.

— Non, moi, fait l'autre. »

Ils ont tous deux l'âme si noble et généreuse qu'ils s'accordent l'un à l'autre la couronne du vainqueur ; mais chacun la refuse et veut convaincre à tout prix le roi et l'assistance entière qu'il est vaincu et qu'il se rend. Le roi met fin à la dispute, après les avoir écoutés un moment ; il prenait grand plaisir à les entendre et à les voir dans les bras l'un de l'autre, après s'être criblés de terribles blessures.

« Seigneurs, fait-il, une grande amitié vous unit, vous le montrez bien en vous avouant vaincus tour à tour ; mais remettez-vous en à moi, je vais réconcilier les plaignantes, je crois, d'une manière qui sera à votre honneur, et tout le monde m'en louera. »

Les deux amis promettent de respecter à la lettre la décision qu'il fera connaître. Le roi *donner sa parole — clef*

répond qu'il va trancher le différend en toute équité.

« Où est, fait-il, la demoiselle qui a chassé sa sœur hors de sa terre et l'a déshéritée de force et sans pitié ?

— Sire, me voici, s'écrie la sœur aînée.

— Vous êtes là ? Approchez donc ! Je savais depuis longtemps que vous cherchiez à la déshériter. Son droit ne lui sera plus contesté, car vous venez de m'avouer la vérité. Il vous faut, de nécessité, renoncer sur sa part à toute prétention.

— Ah ! sire roi, j'ai répondu à la légère et vous voulez me prendre au mot ? Par Dieu, sire, ne me lésez pas ! Vous êtes roi, vous devez vous garder de toute iniquité.

— Précisément, répond le roi, je veux rendre à votre sœur ce qui lui revient, car jamais je n'ai eu le dessein de commettre une injustice. Or, vous avez bien entendu que votre champion et le sien s'en sont remis à moi ; je ne prononcerai pas en votre faveur, votre tort est trop évident. Chacun des deux se déclare vaincu, si grand est son désir d'honorer l'autre. Je n'ai pas à tergiverser, puisque la décision me revient : ou vous obéirez fidèlement à mon arrêt, en renonçant à l'injustice, ou je proclamerai mon neveu vaincu par les armes, et ce sera encore bien pis pour vous, mais je ne le dirai qu'à contrecœur. »

Il n'avait nullement l'intention de le faire, mais il tentait seulement de l'effrayer et de l'amener, sous l'effet de la crainte, à rendre à sa sœur sa part d'héritage : il a fort bien compris que l'obstinée ne rendrait rien par la persuasion, et que seules la force ou l'intimidation pourraient l'y contraindre. En effet, tout alarmée, l'aînée lui dit :

« Cher sire, il me faut donc accomplir votre volonté, et c'est pour moi un crève-cœur ; mais j'obéirai quoi qu'il m'en coûte : ma sœur aura de mon héritage ce qui lui revient ; vous-même serez ma caution, pour qu'elle soit plus assurée.

— Donnez-lui donc sa part en fief sans plus attendre, répond le roi, qu'elle la tienne de vous et devienne votre femme-lige ; aimez-la comme telle, et qu'elle vous aime comme sa dame et sa sœur germaine. »

C'est ainsi que le roi règle l'affaire : la cadette entre en possession de sa terre, et le remercie de grand cœur. Puis il dit à son neveu, le chevalier vaillant et preux, de se laisser désarmer ; que mon seigneur Yvain, s'il y consent, fasse de même : ils n'ont à présent que faire d'armure. Une fois désarmés, les deux héros tombent dans les bras l'un de l'autre.

Tandis qu'ils s'embrassaient, voici que le lion accourt, à la recherche de son maître. Sitôt qu'il l'aperçoit, il lui fait fête. Mais quel

sauve-qui-peut parmi la foule ! Même les plus
hardis déguerpissent.

« Restez donc, s'écrie mon seigneur Yvain.
Pourquoi vous enfuir ? Nul ne vous poursuit ;
ne craignez rien : ce lion ne vous fera aucun mal ;
croyez-moi, je vous en conjure, il est à moi,
et moi à lui ; nous sommes deux compagnons. »

Alors ceux qui avaient entendu évoquer les
aventures du lion et de son compagnon n'hési-
tèrent plus : c'était bien lui le chevalier qui
avait tué le cruel géant. Et mon seigneur Gauvain
lui dit :

« Seigneur compagnon, que Dieu me protège,
vous m'avez bien mortifié aujourd'hui. Je vous
ai fort mal reconnu le service que vous m'avez
rendu, en tuant le géant pour sauver mes
neveux et ma nièce. J'ai bien souvent pensé
à vous, mais je restais perplexe : jamais je
n'avais entendu parler, en quelque contrée où
je fusse allé, d'un chevalier qui, à ma connaissance, fût surnommé le Chevalier au lion. »

Tandis qu'ils dialoguent, on les débarrasse
de leur harnois ; le lion se précipite vers son
maître, là où il est assis. Arrivé devant lui, il
lui témoigne autant de joie que peut en montrer
une bête qui ne sait parler.

Mais il faut conduire les deux jouteurs dans
une infirmerie ou une chambre de malade,
car ils ont bien besoin, pour guérir leurs blessures, de médecin et d'onguent. Le roi, plein

d'affection pour eux, les fit amener devant lui.
Puis il manda un médecin qui connaissait
son art plus que personne au monde et qui
leur prodigua tous ses soins : il guérit leurs
plaies au mieux et au plus tôt qu'il put.

*
* *

Quand ils furent tous deux rétablis, mon
seigneur Yvain, qui pour toujours avait soumis
son cœur à l'Amour, comprit qu'il ne pourrait
vivre ainsi plus longtemps, mais finirait par
y laisser la vie, si sa dame n'avait pitié de lui,
qui se mourait pour elle. Alors il décida de
quitter seul la cour : il irait guerroyer à sa
fontaine, il y déchaînerait une telle tempête
de foudre, de vent et de pluie que sa dame en serait
réduite à faire la paix avec lui, ou jamais il ne
cesserait de livrer la fontaine à la tourmente,
à la pluie et au vent.

Sitôt que mon seigneur Yvain se sentit guéri
et valide, il partit à l'insu de tous, mais son lion
ne le quitta pas : il ne voulait, de toute sa vie,
abandonner sa compagnie. Leur voyage les
conduisit à la fontaine et ils y firent pleuvoir.
Ne croyez pas que je vous mente, mais l'ouragan
fut si terrible que nul ne saurait en conter le
dixième ; il semblait que la forêt tout entière
dût s'engloutir dans le gouffre d'enfer ! La dame
craint que son château lui aussi ne s'effondre :

les murs chancellent, le donjon vacille, et peu
s'en faut qu'il ne s'abatte. Le plus hardi d'entre
les Turcs aimeraient mieux être captif en Perse
que d'être dans ces murs. Les gens du château
sont si effrayés qu'ils abreuvent leurs ancêtres
d'imprécations :

« Maudit soit le premier qui construisit
une maison dans ce pays, maudit ceux qui bâti-
rent ce château ! Sur la terre entière, ils n'auraient
pu trouver d'endroits plus détestables, puisqu'un
seul homme peut l'attaquer, le ravager, le
dévaster. »

— Ma dame, dit Lunete, il vous faut prendre
une décision. Vous ne trouverez personne qui
aille se charger de vous porter secours, ou il
faudrait aller bien loin ! Jamais en vérité, nous
n'aurons de répit dans ce château, nous n'oserons
franchir l'enceinte ni la porte. Eût-on rassemblé
tous vos chevaliers en la circonstance, le meilleur
d'entre eux n'oserait faire un pas, vous le savez
fort bien. Ainsi donc, vous n'avez personne
pour défendre votre fontaine, et vous aurez
l'air d'une écervelée indigne de son rang ;
quelle gloire pour vous, quand l'auteur de
cet assaut partira sans combattre ! Vous voilà
en fâcheuse posture, si vous ne songez autrement
à vos intérêts.

— Toi qui en sais tant, répond la dame,
dis-moi quel parti prendre, et je m'en remettrai
à ton avis.

— Dame, croyez-moi, si je le pouvais, je vous conseillerais sans me faire prier, mais vous auriez grand besoin d'un conseiller plus avisé. Aussi n'osé-je me mêler de tout cela, et comme les autres, j'endurerai et la pluie et le vent, jusqu'au moment où je verrai à votre cour, s'il plaît à Dieu, un chevalier assez vaillant pour se charger d'un tel combat. Mais j'ai bien peur que ce ne soit pas aujourd'hui, et tant pis pour vos intérêts. »

La dame lui répond aussitôt :

« Demoiselle, tenez-donc d'autres propos. Il n'est personne en mon château sur qui je puis compter pour défendre la fontaine et le perron. Mais s'il plaît à Dieu, nous allons voir votre sagesse à l'œuvre : c'est dans le besoin, on le dit toujours, que l'on éprouve son ami.

— Dame, si l'on pensait trouver celui qui tua le géant et vainquit les trois chevaliers, il serait bon d'aller le chercher ; mais tant que sa dame restera son ennemi, et n'aura pour lui que ressentiment, il n'est au monde homme ni femme qu'il accepte de suivre, j'en ai peur ; il faudrait d'abord lui jurer et garantir de faire l'impossible pour mettre un terme à sa disgrâce auprès de sa dame, disgrâce si rigoureuse qu'il en meurt de douleur et de chagrin. »

Alors la dame :

« Je suis prête, avant que vous ne commenciez de le chercher, à vous donner la garantie de

mon serment : s'il vient à moi, je m'emploierai,
sans tromperie ni ruse, à lui obtenir le pardon
qu'il souhaite, si du moins je le puis. »

Lunete réplique :

« Dame, je ne crains rien, vous réussirez
dans cette entreprise, si vous y êtes disposée ;
mais quant au serment, ne vous en déplaise,
je le recevrai avant mon départ.

— Je n'y vois aucun inconvénient, fait la
dame. »

Lunete, experte en courtoisie, lui fit apporter
promptement un reliquaire de grand prix ;
la dame se met à genoux. Lunete l'a prise au
jeu de la vérité, le plus courtoisement du monde.
A la prestation du serment, la fine mouche
ne néglige rien pour se prémunir.

« Dame, dit-elle, levez la main. Je ne veux
pas que d'ici peu, vous me reprochiez quoi
que ce soit, il y va de votre intérêt et non du mien.
Si vous y consentez, prêtez donc le serment
de consacrer loyalement tous vos efforts à la
cause du Chevalier au lion, jusqu'à ce qu'il
soit sûr de recouvrer la bienveillance de sa
dame, comme il la possédait jadis. »

La dame lève alors la main droite et déclare :

« Ce que tu as dit, je le redirai : avec l'aide
de Dieu et de ses saints, je ne mettrai jamais
de réticence à m'y employer de toutes mes forces.
Je lui ferai rendre l'amour et les bonnes grâces
de sa dame, si j'en ai le pouvoir. »

*pas vraiment
une ruse
ce n'est plus Yvain,
mais le Chevalier
au lion*

Lunete est donc arrivée à ses fins ; elle ne souhaitait rien plus ardemment que ce succés. Déjà l'attendait un palefroi doux à l'amble. La mine ravie, l'air radieux, Lunete se met en selle ; sa chevauchée la conduit près du pin ; elle y rencontre celui qu'elle ne pensait pas trouver si près, croyant qu'il lui faudrait long-temps chercher avant d'arriver jusqu'à lui. A peine l'a-t-elle aperçu qu'elle le reconnaît à son lion. Elle vient vers lui au grand galop, puis saute à terre. Mon seigneur Yvain lui aussi l'a reconnue, du plus loin qu'il l'a vue. Après l'échange des saluts, elle lui dit :

« Seigneur, comme je suis contente de vous avoir trouvé si vite !

— Comment, dit mon seigneur Yvain, me cherchiez-vous donc ?

— Oui, assurément, et jamais je ne fus si heureuse, depuis que je suis née : j'ai conduit ma dame à redevenir comme jadis, sous peine de se parjurer, votre dame, et vous son seigneur. C'est la pure vérité. »

Mon seigneur Yvain est au comble de la joie en apprenant cette nouvelle qu'il croyait ne jamais devoir entendre. Il ne peut exprimer toute sa gratitude à celle qui, pour lui, a tant obtenu. Lui couvrant de baisers les yeux et le visage, il lui dit :

« Certes, ma chère amie, jamais je ne pourrai, en aucune façon, vous récompenser. Je crains

de ne trouver ni le moyen ni l'occasion de vous
servir et de vous honorer.

— Seigneur, lui répond-elle, ne vous inquiétez
pas ; n'en ayez nul souci, car vous aurez tout
loisir de me dispenser vos bienfaits, à moi comme
aux autres. Si j'ai accompli mon devoir, on ne
doit point m'en savoir plus de gré qu'au débiteur
qui rembourse sa dette. D'ailleurs, je ne crois
pas encore vous avoir rendu ce que je vous devais.

— Si fait, Dieu me protège, et bien cinq cent
mille fois au-delà ! Nous partirons quand vous
voudrez. Mais lui avez-vous révélé qui je suis ?

— Non, par ma foi, elle ne vous connaît
que sous le nom de Chevalier au lion. »

Ainsi s'en vont-ils, tout en devisant, toujours
suivis du lion, et ils atteignent le château. Dans
les rues, ils ne disent mot à âme qui vive. Les
voici devant la dame.

Celle-ci était tout heureuse d'avoir appris
le retour de sa suivante, accompagnée du lion
et du chevalier, qu'elle brûlait de rencontrer,
de connaître et de voir. Mon seigneur Yvain
tombe tout armé à ses pieds. Lunete est près
de lui :

« Dame, dit-elle, relevez-le, et employez tous
vos efforts et votre habileté à lui procurer
paix et pardon, car vous êtes la seule au monde
à pouvoir les lui obtenir. »

La dame alors le fait se relever et dit :

« Je lui suis toute dévouée, et je souhaite

ardemment réaliser tous ses désirs, si j'en ai
le pouvoir.

— Certes, dame, répond Lunete, je ne le
dirais pas, si ce n'était pas vrai. Vous en avez
l'entier pouvoir, plus encore que je ne vous
l'ai dit. Maintenant, je vais vous révéler la
vérité, vous allez tout savoir : jamais vous n'eûtes
et jamais vous n'aurez d'ami meilleur que celui-ci.
Dieu, qui veut que règnent entre vous une parfaite paix comme un parfait amour que rien
désormais n'interrompe, me l'a fait aujourd'hui
rencontrer près d'ici. Et pour prouver ce que
j'avance, inutile d'en dire plus : dame, oubliez
votre ressentiment, car il n'a d'autre dame
que vous. Ce chevalier, c'est mon seigneur
Yvain, votre époux. »

A ces mots, la dame tressaille :

« Dieu me sauve, s'écrie-t-elle, tu m'as bien
attrapée. C'est donc celui qui n'a pour moi
ni amour ni estime que tu prétends me faire
aimer contre mon gré ! Le beau succès dont
tu peux te vanter ! Le beau service que tu m'as
rendu ! J'aimerais mieux, ma vie durant, souffrir
vents et tempêtes, et si se parjurer n'était une
action trop ignoble, jamais à aucun prix je ne
lui accorderais la paix. Et toujours couverait
en moi, comme le feu sous la cendre, ce dont
je ne veux plus parler, et que je n'ai nulle envie
d'évoquer, puisqu'il faut qu'avec lui je me
réconcilie. »

Mon seigneur Yvain, comprenant alors que son affaire est en si bonne voie qu'il obtiendra paix et pardon, se met à l'implorer :

« Dame, à tout pécheur miséricorde. J'ai payé mon aveuglement, ce n'était que justice. C'est la folie qui m'a retenu loin de vous, et je me reconnais coupable. Je fus donc bien hardi d'oser paraître devant vous ! Pourtant, si à présent vous consentez à me garder auprès de vous, jamais plus je ne commettrai la moindre faute à votre égard.

— Eh bien, j'accepte, répond-elle, car je serais parjure si je ne faisais tous mes efforts pour rétablir la paix entre nous ; puisque vous y tenez, je vous l'accorde.

— Dame, mille mercis, le Saint-Esprit me vienne en aide, Dieu ne pouvait ici-bas me donner plus de joie. »

Mon seigneur Yvain a donc obtenu son pardon et, croyez-m'en, jamais il n'éprouva tant de bonheur, après un désespoir aussi profond. Il est heureusement venu à bout de ses épreuves : il est aimé et chéri de sa dame, et il le lui rend bien. Aucun de ses tourments ne lui reste en mémoire, car la joie qui lui vient de sa si tendre amie les lui fait oublier.

Quand à Lunete, elle est aussi pleinement heureuse, elle est au comble de ses vœux, puisqu'elle a réuni pour toujours mon seigneur Yvain, le parfait amant, et sa chère amie, la parfaite amante.

Chrétien termine ainsi son roman du Chevalier au lion ; voilà toutes les aventures qu'il a entendu conter, et vous n'entendrez rien de plus, ce serait ajouter des mensonges.

Dans le manuscrit Paris Bibl. nat. 794, le scribe Guiot donne en trois vers son nom et son adresse :

Celui qui le copia a nom Guiot ; il a son logis devant Notre-Dame-du-Val.

GLOSSAIRE

ALÉRION : oiseau de proie, sorte d'aigle.

AUTOUR MUÉ : les autours et autres oiseaux de proie, oiseaux de luxe utilisés pour la chasse, ont plus de prix après avoir fait leur mue, qui est une véritable maladie, parfois mortelle ; après la mue, la plume et la couleur de l'oiseau sont assurées et lui donnent plus de valeur.

BOUCLE : renflement au centre de la face externe de l'écu, destiné à faire dévier la lance de l'adversaire.

BRAIES : ample culotte serrée aux jambes par des lanières.

BRETÈCHE : ouvrage avancé de fortification.

CERVOISE : bière à base d'orge, sans houblon.

CHATEAU : ce mot désigne tantôt le château-fort, tantôt la petite ville fortifiée groupée autour du château seigneurial.

CHAUSSES : vêtement en drap ou en tissu de soie qui recouvre les membres inférieurs, ou pièce de l'armure, en mailles de fer ou d'acier, protégeant les jambes et les pieds.

CISEMUS : petit rongeur mal identifié. Musaraigne ?

COTTE : sorte de tunique portée par dessus la chemise tant par les hommes que par les femmes.

COURTINES : tentures d'appartement suspendues le long des murs, devant les portes et les baies.

DEMOISELLE : jeune fille ou jeune femme non mariée de naissance noble.

DENIER : voir SOU.

ÉCARLATE : fine étoffe de laine ou de soie qui n'est pas nécessairement d'un rouge vif.

ESSART : endroit défriché au milieu d'une forêt (cf. les Essarts, lieu-dit que l'on trouve dans de nombreuses régions de France).

FAUCON GRUYER : faucon spécialement dressé pour chasser la grue.

FEMME-LIGE : équivalent féminin de l'homme-lige, vassal étroitement lié à son suzerain.

FEUTRE : capitonnage de l'arçon sur lequel le cavalier, avant de charger, peut appuyer la partie inférieure de la hampe (ou talon) de la lance.

FRANC-ALLEU : terre de pleine propriété, affranchie de toute obligation ou redevance, à l'opposé du fief.

FRETEL : sorte de flûte de Pan, à plusieurs tuyaux parallèles et attachés ensemble.

GERFAUT : oiseau rapace particulièrement estimé au moyen-âge pour la fauconnerie.

GUIMPE : pièce de toile blanche qui couvre les cheveux et une partie du visage.

HANAP : vase à boire, souvent garni d'un couvercle.

HAUBERT : cotte de mailles qui protège le buste. Il est fréquent, dans les combats singuliers, qu'un coup d'épée fasse sauter les mailles.

HEAUME : sorte de casque élevé en pointe, couvrant la tête et le haut du visage ; il se laçait au moyen de courroies de cuir.

JEUNE FILLE : correspond, dans notre traduction, à « pucele » en ancien français ; « pucele » désigne le plus souvent, comme « dameisele », une jeune fille de noble naissance.

LAI : mélodie qui peut ou non comporter des paroles.

LIVRE : voir SOU.

LOGES : galeries extérieures d'un château ou baie largement ouverte au sommet d'une tour.

MANCHE : partie séparée du vêtement, auquel elle s'attache par une couture temporaire.

MANGONNEAU : machine de siège, catapulte qui lançait de gros projectiles. La « perrière » est une machine de même catégorie.

MARC : le marc d'or est une monnaie d'une valeur de huit onces.

MESNIE : ensemble des parents, domestiques, vassaux, etc... qui formaient la « maison » d'un seigneur.

MUID : mesure de capacité pour les grains, de valeur variable suivant les régions.

NETUN : démon. Ce mot, issu de « Neptunus », est resté sous la forme « lutin ».

PALEFROI : cheval pour la promenade ou le voyage ; il est très souvent réservé aux dames ; c'est aussi une monture de parade.

PANNEAU : coussinet de selle rembourré de cuir et placé sous l'arçon.

PAVILLON : sorte de tente de forme conique ; ses pans triangulaires lui donnent l'aspect d'un papillon aux ailes déployées

PERRON : bloc de pierre, grosse pierre carrée.

QUINTAINE : mannequin monté sur un pivot et armé d'un bâton de manière que, lorsqu'on le frappait maladroitement avec la lance, il tournait et assénait un coup sur le dos de celui qui l'avait frappé.

ROBE : vêtement d'homme ou de femme. Le mot peut désigner, pour un chevalier, l'ensemble du costume de repos.

SETIER : mesure de capacité pour les grains, dont la contenance est très variable d'une région à l'autre (du simple au double).

SOU : 1 livre = 20 sous ; 1 sou = 12 deniers.

Le pain de l'ermite coûterait à peine 20 sous le setier, donc une livre. « Le travail des demoiselles rapporte à leur exploiteur soixante fois plus qu'à elles-mêmes » (Frappier, Étude sur Yvain, S.E.D.E.S., p. 127), « de quoi faire la fortune d'un duc » (v. 5310). En effet, les trois cents tisseuses rapportent (20 sous = 1 livre) × 300 = 300 livres (6000 sous) par semaine. L'exploiteur rend à son personnel 4 deniers × 300 = 1200 deniers : 12 = 100 sous. Or, dans Aucassin et Nicolette (début 13e siècle), un bœuf est évalué à vingt sous.

SURCOT : vêtement porté sur la cotte.

TAILLADE : le « harigot » était une manche à taillade, mode vestimentaire sans doute nouvelle à l'époque.

TIERCE : troisième heure de la journée à partir de six heures du matin (prime), selon la division du jour en heures canoniales (prime, tierce, midi, none...) ; donc neuf heures du matin approximativement.

TORCHE-POT : expression pittoresque pour désigner les cuisiniers et leurs marmitons.

VAIR : fourrure tachetée, blanche et grise.

VASSAL : employé en apostrophe, le mot devient péjoratif malgré son sens premier « gentilhomme qui relève d'un seigneur à cause d'un fief », puis « vaillant combattant ».

VAVASSEUR : vassal d'arrière-fief relevant d'un fief noble. Il se trouve donc placé au dernier échelon de la hiérarchie féodale. Dans les romans de chevalerie, il est représenté le plus souvent comme un modèle d'amabilité, de loyauté et de sagesse.

VENTRE : « l'expression médiévale, d'une anatomie bizarre, « li cuers prant dedanz le vantre/la voiz... » (v. 167), est tout à fait courante, elle nous place au tréfonds de l'être ; il n'en reste qu'un souvenir dans la locution, d'une autre tonalité, « avoir du cœur au ventre ». (d'après G. Raynaud de Lage, Manuel pratique d'ancien français, Picard, 1968).

VOYER : officier préposé à la police des chemins.

NOTES

_____

P. 16.

Loradin : il s'agit du sultan Nour-Eddin.

P. 16.

Forré : roi païen.

P. 31.

Il s'agit du phénomène de la cruentation, croyance répandue, selon laquelle la blessure d'un homme tué commençait à saigner, si le meurtrier s'approchait du cadavre.

P. 79.

Morgane ou Morgue : fée, sœur du roi Arthur dans les légendes arthuriennes.

P. 103.

Allusion à un épisode du « Lancelot ». Méléagant survient à la cour du roi Arthur et lance un défi : s'il est un chevalier assez hardi pour l'affronter et le vaincre en combat singulier, Méléagant libérera les captifs qu'il retient. S'il est vainqueur, il emmènera la reine Guenièvre dans son royaume. Sur ce, il se retire et attend son éventuel adversaire dans une forêt voisine. Le sénéchal Keu déclare alors son intention de quitter la cour ; le roi le supplie de rester :

Keu accepte, à la condition que le roi se prête par avance à la demande qu'il va lui adresser : il exige d'être le défenseur de la reine. Méléagant le vainc et emmène la reine.

P. 108.

Tarse : en Cilicie, sur le Cydnus, patrie de saint Paul.

P. 125.

Méléagant s'est emparé traîtreusement de Lancelot, et l'a fait enfermer dans une tour bâtie à cette intention. Ainsi, pense-t-il, Lancelot ne pourra respecter le délai d'un an, à l'expiration duquel les deux adversaires doivent s'affronter en combat singulier à la cour d'Arthur.

P. 173.

« On ne sait pas en quoi consistait exactement « le jeu de vérité », mais il semble, d'après le contexte, qu'il s'agissait d'un jeu de société, pratiqué dans les cercles courtois, où l'on faisait prêter à quelque personne un serment ou prendre un engagement dont elle ne saisissait pas toutes les implications et toutes les conséquences (J. Frappier, Étude sur Yvain, S.E.D.E.S., 1969, p. 57).

P. 178.

« A Provins, dans le faubourg de Fontanet, devenu depuis Saint-Brice, Guiot a pu avoir son logis et son atelier de copiste devant l'église collégiale de Notre-Dame-du-Val, et l'on comprendrait, d'une part, que la mention de Notre-Dame-du-Val ait été une adresse suffisante pour la clientèle des amateurs des comtés de Brie et de Champagne, et, d'autre part, que son langage et ses habitudes graphiques soient conformes à l'usage champenois. » S'installer près d'une église était chose courante dans une ville de foire, puisque les forains établissaient leurs loges aux abords des églises. (D'après Mario Roques, Rom., t. LXXIII (1952), pp. 177-199).

TABLE

TABLE

ACHEVÉ D'IMPRIMER
LE 10 JANVIER 1978
PAR JOSEPH FLOCH
MAITRE-IMPRIMEUR
A MAYENNE

N° 6218